KB096565

30일 철학공부
논어(論語)

30일 철학공부

논어(論語)

권영민 지음

30일 철학공부: 논어(論語)

발 행 | 2024년 5월 7일
저 자 | 권영민
펴낸이 | 한건희
디자인 | 권영민인문학연구소
펴낸곳 | 주식회사 부크크
출판사등록 | 2014.07.15.(제2014-16호)
주 소 | 서울특별시 금천구 가산디지털1로 119 SK트윈타워 A동 305호
전 화 | 1670-8316
이메일 | info@bookk.co.kr

ISBN | 979-11-410-8370-0

www.bookk.co.kr

서문

어떻게 하면 삶을 더 깊게 이해할 수 있을까요? 어떻게 하면 수많은 결정 앞에서 자신만의 길을 찾아서 걸어갈 수 있을까요? 이 책은 우리가 현대 세계에서 자주 마주하는 삶의 고민과 질문들을 철학적인 시선으로 바라보고자 합니다. 중년 철학시리즈로 선보인 《30일 철학공부: 논어(論語)》는 중년으로 살아가는 현대인에게 삶의 통찰을 제공합니다.

《논어(論語)》에는 공자의 지혜와 가르침이 담겨 있습니다. 이 책의 주제는 "자신의 길을 걸어가라"입니다. 공자는 중년에게 자신을 탐구하고, 자신을 이해하며, 자신만의 길을 찾아가는 법을 알려줍니다.

우리는 삶의 의미와 자신의 길을 고민을 하곤 합니다. 그리고 이 책은 그러한 고민과 질문에 철학적인 답을 찾아가는 여정을 안내합니다. 여러분은 이 여정을 통해 자신을 이해 하게 되며, 그를 통해 자신만의 길을 찾아 나아갈 수 있게 됩니다.

이 책은 30일 동안 여러분과 함께합니다. 이 기간 동안 '자기 이해', '자기 실현', '자기 극복'의 세 가지 주제를 탐구하게 됩니다. 각 주제는 다음과 같이 구성되어 있습니다:

첫 번째는 자기 이해입니다. 여기서는 자신의 탐구하고, 이해하는 과정에 대해 다룹니다. 공자는 우리에게 자기를 알고 이해하는 것이 왜 중요한지를 강조합니다.

두 번째는 자기 실현입니다. 여기서는 자기를 실현하는 방법에 대해 고찰합니다. 공자의 가르침을 통해 우리는 자신의 잠재력을 발휘하고 성장하는 방법을 배웁니다.

세 번째는 자기 극복입니다. 우리는 어려움과 도전 속에서도 자신을 극복하는 방법에 대해 살펴볼 것입니다. 공자는 우리에게 어떻게 내면의 힘을 발휘하여 어려움을 극복할 수 있는지를 가르칩니다.

이 책을 통해 우리는 공자의 지혜를 통해 더 나은 삶을 살기 위한 통찰력을 얻을 것입니다. 함께 여행하는 것을 기대합니다. 함께 하시길 바랍니다.

2024년 5월 6일

권영민 드림

CONTENT

2부. 자기 실현

3부. 자기 극복

1부

논어(論語) Insight

자기이해

배움의 기쁨을 누려라

•
•
•

"배우고 때때로 익히면 기쁘지 아니한가? 벗이 있어 먼 곳에서 찾아온다면 즐겁지 아니한가? 남이 나를 알아주지 않아도 성내지 않으니 이 또한 군자가 아니겠는가?" 《논어, 학이편》

중년에는 계속해서 배우고 익히며 성장하는 과정은 마치 먼 곳에서 찾아온 소중한 벗을 만나는 듯한 기쁨을 안겨줍니다. 공자의 이 말씀은 중년에게 새로움의 선물을 받는 학습의 중요성을 강조하며, 그 속에서 찾는 기쁨과 만족을 말합니다.

새로운 지식을 습득하고 익히는 것은 마치 새로운 세계를 탐험하는 듯한 즐거움을 안겨줍니다. 중년에도 배움의 문을 열고 지적 호기심을 유지한다면, 늘 새로운 경험을 만나고 삶을 더욱 풍요롭게 만들 수 있습니다. 새로운 언어를 배우거나 예술과 과학의 세계에 더 깊이 몰두함으로써, 마치 마음의 창문을 열어 새로운 시각과 감각을 향해 여행하는 것과 같은 즐거움을 경험할 수 있습니다.

중년에 새로운 친구를 만나는 것은 매우 특별한 경험입니다. 그런데 때로는 그 친구가 지식과 배움일 때, 그 만남은 더욱 의미 있는 것으로 여겨집니다. 새로운 도전과 배움은 마치 먼 곳에서 찾아온 벗과 인연처럼 우리의 삶에 즐거움과 풍요로움을 선사합니다. 학문의 세계나 예술의 영역에서 벗 같은 지식과 배움을 만난다면, 그 만남은 우리의 삶을 더욱 풍성하게 만들어줍니다.

남이 나를 알아주지 않아도 성내지 않는 자세는 중년에게 깊은 내적 인정의 중요성을 알려줍니다. 삶의 여정에서 중요한 것은 주변의 인정보다는 자기 내면에서 오는 인정입니다. 배움을 통해 자신에 대한 성장을 이루고, 그 자세가 마치 군자의 덕목처럼 자리 잡으면, 다른 이들의 인정이 아니라 자기 스스로 인정이 더욱 큰 가치를 지닌다는 것을 깨닫게 될 것입니다.

중년에는 이처럼 배움으로 새로워지는 것이 삶을 더욱

풍성하게 만들어 줍니다. 지적 호기심을 유지하고, 새로운 도전에 나서며, 내면의 성장을 향해 나아가면서, 중년의 삶을 새로운 즐거움과 의미로 가득 채울 수 있습니다. 배움의 기쁨은 마치 중년에게 열린 문을 통해 여전히 배울 수 있는 기회가 무한하며, 그것이 삶에 더욱 깊이와 풍요로움을 가져다줍니다.

논어(論語) Insight

1. 지속적인 호기심과 학습을 유지하라

중년은 지속적인 호기심과 학습에 주안점을 두어야 한다. 배우고 익히는 과정에서 새로움을 찾고, 삶에 지속적인 흥미와 의미를 부여하게 된다. 새로운 분야에 도전하거나 기존 지식을 확장하는 노력을 통해 내적 성장과 풍요로움을 찾아간다.

2. 새로운 경험과 인연을 즐기며 확장해 나가라

새로움은 학습뿐만 아니라 다양한 경험과 인연을 통해 찾을 수 있다. 먼 곳에서 찾아온 벗처럼, 다양한 사람들과의 교류, 여행, 문화 체험 등을 통해 새로운 시각과 인연을 만나보자. 이를 통해 자신의 삶을 더욱 풍부하고 다채롭게 만들어 나갈 수 있다.

3. 자기 인정에 더욱 집중하고 성취를 누려라

남이 나를 알아주지 않아도 성내지 않는 군자의 자세는 중년에 자기 인정에 더욱 집중하고, 외부의 평가보다는 내적인 성취에 주안점을 두어야 한다. 배움을 통해 자기 능력을 증진시키고, 남의 시선이 아니라 자신의 목표와 가치에 충실함으로써, 내적인 만족과 성취를 누릴 수 있다.

마음의 세 가지 질문에 답하라

“나는 날마다 다음 세 가지 점에 반성한다. 남을 위하여 일을 꾀하면서 진심을 다하지 못한 점은 없는가? 벗과 사귀면서 신의를 지키지 못한 일은 없는가? 배운 것을 제대로 익히지 못한 것은 없는가?” 《논어, 학이편》

인생은 지속적인 성장과 발전의 과정이며, 중년에 이르러서야 그 동안 삶을 돌아보고 미래에 대한 방향을 결정하는 시기가 찾아옵니다. 공자의 말씀에서 나타나는 “마음의 세 가지 질문”은 중년에게 깊은 성찰을 요구하며, 나 자신과 솔직한 대화를 통해 더 나은 인생을 창조하기 위한 지침을 제시합니다.

첫째, 남을 위하여 일을 꾀하면서 진심을 다하지 못한 점은 없는가?

중년은 자신이 남을 위해 헌신하고 봉사하는 동안에도, 그 과정에서 진심을 다하지 못한 적이 없었는지를 살펴봐야 합니다. 남을 도우면서도 자기 자신을 소중히 여기고, 진심으로 소통하는 데 주의를 기울여야 합니다. 중년이 이 질문에 답하면서 자신의 행동과 태도를 성찰하고, 더 깊은 연민과 이해를 바탕으로 남을 도우며 행복을 나누는 방법을 모색할 수 있습니다.

둘째, 벗과 사귀면서 신의를 지키지 못한 일은 없는가?

"벗과 사귀면서 신의를 지키지 못한 일은 없는가?"라는 질문은 중년이 인간관계에서 어떤 가치를 중시하고 있는지를 들여다보게 합니다. 벗과의 관계에서도 신의를 중요시하며, 소중한 인연을 지키고자 노력하는 것이 중요합니다. 중년은 이 질문을 통해 자신의 인간관계에서 도덕적인 지향점을 확인하고, 더 깊은 신뢰와 정직함으로 관계를 발전시키는 방법을 찾을 수 있습니다.

셋째, 배운 것을 제대로 익히지 못한 것은 없는가?

배운 것을 제대로 익히지 못한 경우, 중년은 자신의 노력과 시간이 얼마나 효과적으로 활용되고 있는지에 대해 고민해야 합니다. 중년은 끊임없이 학습과 성장을 추구하며, 새로운 지식과 기술을 습득하면서 자기 계발에 힘써야 합니다. 이 질문을 통해 중년은 자기 계발의 방향성을 다시 한번 고찰하고, 미래에 필요한 역량을 강화할 수 있는 방법을 찾을 수 있습니다.

중년은 이 마음의 세 가지 질문에 답하면서, 지나온 삶을 되돌아보고 미래의 방향을 세우는 중요한 과정을 겪게 됩니다. 이를 통해 중년은 더 깊은 자아 인식과 인생의 목표를 찾아가며, 나 자신과 타인, 그리고 세상과 조화로운 관계를 형성해 나갈 것입니다. 공자의 가르침은 마음의 질문을 통해 성장하고 발전하는 중년에게 큰 영감을 주며, 이를 통해 새로운 인생의 장을 여는 계기가 됩니다.

논어(論語) Insight

1. 진심으로 봉사하고 소통하며 남을 위해 헌신하라

"남을 위하여 일을 꾀하면서 진심을 다하지 못한 점은 없는가?" 중년은 자기 행동과 봉사에 대한 성실성을 되돌아보아야 한다. 마음으로 일하고 봉사함으로써 진심 어린 관계를 형성하고, 자신의 소통 노력에 만족감을 느낄 수 있다. 중년은 고요한 성실과 따뜻한 소통을 통해 주변과의 연결을 강화하고나 자신을 향한 성실한 봉사를 지속해야 한다.

2. 인간관계에서 신의를 중시하며 깊은 연민을 키워라

"벗과 사귀면서 신의를 지키지 못한 일은 없는가?" 중년은 벗과의 관계에서 인간적인 가치와 신뢰를 중시해야 한다. 믿음과 신의를 기반으로 한 깊은 연민을 키우면서, 양질의 인간관계를 유지하고 발전시켜야 한다. 중년은 신뢰를 토대로 한 인간관계를 형성하고 유지하여 평화와 안정을 찾아갈 수 있다.

3. 끊임없이 학습하고 성장하는 삶의 태도를 갖춰라

"배운 것을 제대로 익히지 못한 것은 없는가?" 중년은 평생 학습의 태도를 갖고, 지식과 기술을 계속해서 습득하며 성장하는 데 힘써야 한다. 배운 것을 익히고 발전하는 과정에서 자아의 풍요로움을 찾을 수 있다. 중년은 끊임없는 호기심과 학습의 즐거움으로 미래에 필요한 역량을 강화해야 한다.

중년, 인생의 목표는 무엇인가

•
•
•

"군자는 먹는 데 탐욕을 부리지 않고 사는 곳에 집착하지 않는다. 일을 신속하게 해내고 말을 가려서 한다. 또한 일하는데, 민첩하고 말하는데는 신중하며, 도의를 아는 사람에게 나아가 자신의 잘못을 바로잡는다. 이런 사람이라면 배우기를 좋아한다고 할 말하다." 《논어, 학이편》

인생은 끊임없는 변화와 성장의 여정입니다. 특히 중년에는 지난 세월을 돌아보고, 앞으로의 방향을 다시 고민하게 되는 삶의 전환점에 처하게 됩니다. 이때 중년은 새로운 목표를 설정하고, 더 나은 삶을 위한 길을 찾아가는 여정에 나서게 됩니다. 공자의 가르침을 통해 살펴본 중년의 목표는 탐욕을 벗어나는 것, 균형을 찾는 것, 도(道)에 따르는 것, 계속해서 배우는 것, 그리고 진정한 풍요로움을 찾는 것입니다.

첫째, 탐욕에서 벗어나기가 중년의 목표 중 하나입니다. 지나온 세월 속에서 축적된 물질적인 욕망으로부터 자유로워지고, 정신의 풍요로움과 만족을 찾아가는 것이 중요합니다.

둘째, 일과 삶의 균형을 찾는 것 역시 중년의 목표입니다. 일의 신속한 처리와 동시에 말을 조절하여 가정과의 균형을 유지하며, 삶의 다양한 영역에서 풍요로움을 찾아나가는 것이 중요합니다.

셋째, 도에 따르기가 중년의 목표입니다. 나 자신을 바로잡고, 성장을 향한 길을 찾아가는 과정에서 도에 따르면서 지혜를 쌓아가는 것이 중요합니다.

넷째, 배우기의 즐거움을 찾는 것 역시 중년의 목표입니다. 지식의 증진을 통해 자기 성장을 도모하며, 끊임없는 탐험을 통해 더 나은 인생을 창조하는 것이 중요합니다.

다섯째, 진정한 풍요로움을 찾는 것이 중년의 목표입니다. 물질적인 것에 의존하지 않고, 내면에서 발견되는 평화와 행복을 추구하며, 새로운 가치의 발견을 통해 더 나은 삶의 방향을 찾는 것이 중요합니다.

중년의 목표는 공자의 가르침을 살펴볼 때, 끊임없는 성장과 변화를 추구하면서도 정신의 안정과 풍요로움을 찾아가는 여정으로 요약됩니다. 탐욕에서 벗어나 균형을 찾으며, 도에 따라 성장하고 배우며, 진정한 풍요로움을 찾아가는 중년의 여정은 더 나은 인생을 향한 탐험이자 새로운 시작입니다.

중년은 과거의 성취와 현재 상황을 기반으로 미래를 새롭게 그릴 수 있는 중요한 시기입니다. 이 여정을 통해 중년은 자아를 발전시키고, 주변과의 조화를 이루며 더 나은 인생의 방향을 찾아가게 됩니다.

논어(論語) Insight

1. 물질적인 욕망에서 벗어나 정신의 풍요로움을 찾아라

군자는 먹는 데 탐욕을 부리지 않고 사는 곳에 집착하지 않는다. 중년의 목표는 물질적인 욕망에서 벗어나 정신의 풍요로움을 찾아야 한다. 새로운 목표는 물질적인 소유에 의존하지 않고, 안정과 만족을 추구함으로써 더욱 깊은 풍요로움을 찾아간다.

2. 일과 삶의 균형으로 평화로운 삶을 실현하라

군자는 먹는 데 탐욕을 부리지 않고, 일을 신속하게 해내며 말을 가려서 한다. 중년의 목표는 업무와 가정, 그리고 자기 자신 사이에서 균형을 찾고, 일과 삶의 조화를 이루면서, 평화로운 삶을 실현하는 것이 중년에게 필요한 목표 중 하나다.

3. 지혜 있는 멘토를 찾아 배움의 즐거움을 체험하라

군자는 도(道)가 있는 사람을 따르며 자신을 바로 잡는다. 중년의 목표는 지혜 있는 멘토를 찾아 그들을 따르며, 자아를 발전시키고 바로 잡는 것이다. 다양한 분야에서 배움의 즐거움을 느끼면서, 지혜로운 삶을 살아가는 것이 중년의 목표다.

중년의 두 단어, 미혹과 천명

●
●
●

"마흔에는 미혹되지 않았고, 오십에는 천명을 알았다."《논어, 위정편》

인생은 한 차례의 여행이며, 중년은 이 여정에서의 반환점 중 하나로 여겨집니다. 공자는 "마흔에는 미혹(迷惑)되지 않았고, 오십에는 천명(天命)을 알았다"라는 말로 중년의 삶을 깊게 생각하고 느낀 그의 철학을 전하고 있습니다. 이 두 단어, '미혹과 천명', 중년의 삶에서 중요한 주제로 떠오르며, 이를 통해 중년이라는 삶의 단계에서 어떤 의미 있는 교훈을 얻을 수 있습니다.

마흔은 대개 인생에서 활동적이고 열정적인 시기로 여겨집니다. 이는 많은 사람들이 자신의 꿈을 쫓고 경험을 쌓는 시기이기도 합니다. 그러나 마흔은 동시에 미혹의 함정에 빠질 수 있는 시기이기도 합니다. 생애 중기로써 경험과 성취에 대한 욕구가 최고조에 달하는 동시에, 이로 인해 자아의 혼란과 가치관의 흔들림이 발생합니다.

미혹은 종종 욕망과 목표를 추구함에 따라 현실과의 괴리가 존재합니다. 자신의 욕망에 사로잡히면서 가치 있는 가족과 친구, 또는 내적인 만족감을 간과할 수 있습니다. 마흔에서는 이러한 미혹에 빠져 자신의 꿈과 가치를 잃지 않도록 깊이 생각하고 정제하는 시간을 가져야 합니다. 그 순간의 깨달음은 중년 이후의 삶을 더욱 풍요롭게 만들어 가야 합니다.

오십에 도달하면서 인생은 더 큰 투쟁의 무대로 전환됩니다. 천명은 그동안의 삶에서 얻은 깨달음과 경험을 바탕으로 자신의 존재 이유와 방향성을 찾는 과정을 의미합니다. 오십에 이르면서 많은 사람들은 이전의 미혹을 통해 배운 교훈을 근간으로 새로운 목표를 설정하고 더 큰 의미를 찾아 떠납니다.

천명은 종종 자기실현과 공헌에 대한 깊은 이해를 수반합니다. 가족과 사회에 봉사하거나, 자기 경험을 통해 다른 이들에게 가르치는 일 등을 통해 인생의 차원을 높입니다. 오십은 경험을 쌓아온 삶을 돌아보고, 미래에 어떤 유산을 남길지에 대한 결정적인 시간이 됩니다.

공자의 말씀처럼, 중년에는 미혹과 천명이라는 두 단어가 주요 테마로 떠오릅니다. 마흔에서는 미혹을 깨닫고 정제하며, 오십에서는 천명을 찾아 떠나는 과정이 중요합니다. 중년은 생애에서의 균형을 찾는 시기로, 미혹에서 얻은 교훈을 토대로 더욱 풍요로운 삶을 살아가는 유일한 기회입니다.

논어(論語) Insight

1. 지혜를 쌓아가는 데 주력하라

마흔에 미혹 당하지 않고 오십에 천명을 알게 된다는 것은 삶의 경험을 통해 지혜를 얻는 과정이다. 중년에는 이러한 지혜를 쌓아가는 데 집중해야 한다. 지난 경험을 반성하며 자신의 판단력과 현명한 선택을 기를 수 있도록 노력하며, 주변의 유혹과 도전에 대처할 수 있는 강한 내면을 구축해야 한다.

2. 목표를 세우고 실천하라

천명을 안다는 것은 자신의 목표와 사명을 깨우친다는 의미다. 중년에는 명확한 목표를 설정하고 그 목표를 향해 끊임없이 노력하는 의식적인 삶을 살아가야 한다. 목표를 달성하기 위한 계획을 세우고 실행하는 데 집중하여, 중년 이후에도 의미 있는 도전과 성취를 경험하게 된다.

3. 자아를 깊이 탐구하고 발전하라

중년에는 자아를 깊이 탐구하고 개발하는 데에 중점을 두어야 한다. 자신의 욕망과 가치관을 이해하며, 자기 자신에게 진정한 만족과 이해를 찾아가야 한다. 새로운 측면을 발견하고 성장하기 위해 지속적인 자기 계발을 추구하며, 내면의 평화와 안정을 이루어 나가야 한다.

인품, 세 가지를 관찰하라

•
•
•

"그 사람이 하는 것을 보고, 그 동기를 살펴보고, 그가 편안하게 여기는 것을 관찰하라. 사람이 어떻게 자신을 숨기겠는가? 어떻게 자신을 숨기겠는가?" 《논어, 위정편》

공자는 타인을 평가할 때는 단순한 외부의 행동뿐만 아니라, 그 동기와 내면의 편안함까지 주의 깊게 살펴보아야 합니다. 특히 중년에게 있어 이러한 세 가지 요소는 상대방과의 관계에서 중요한 역할을 합니다.

첫째, 행동을 관찰해야 합니다. 중년이 인품을 평가할 때 가장 먼저 살펴봐야 하는 것은 상대방의 행동입니다. 행동은 개인의 가치관과 성격을 반영하는 중요한 지표입니다. 예를 들어, 다른 이에게 도움을 주거나, 어려운 상황에서도 침착하게 대처하는 행동은 중년의 성숙함과 타인에 대한 배려심을 나타냅니다.

둘째, 동기를 관찰해야 합니다. 중년에게 중요한 것은 상대방의 행동에 깔려 있는 동기를 살펴보는 것입니다. 특히 중년은 과거의 경험과 배움을 통해 현재의 행동에 영향을 미치는 동기를 가지게 됩니다. 그래서 상대방의 행동 뒤에 어떤 이유와 목표가 있는지를 알아내는 것은 중년의 대인 관계에서 심층적인 이해를 가능하게 합니다.

셋째, 무엇이 상대방이 편안하게 하는지를 관찰해야 합니다. 중년이 인품을 관찰할 때는 상대방이 무엇으로 편안해 하는지, 그리고 그 상태에 있는지를 주의 깊게 살펴보아야 합니다. 편안함은 중년이 자아의식과 심리적 안정을 어떻게 유지하고 있는지를 보여주는 중요한 지표입니다. 특히 어떤 상황에서도 자신감 있게 행동하고 편안하게 대화하는 모습은 중년의 강인함을 나타내게 됩니다.

"인품, 세 가지를 관찰하라"를 중년의 관점에서 보면, 행동, 동기, 편안해 하는 것, 세 가지 측면을 주의 깊게 살펴보는 것이 중요함을 알게 됩니다. 이러한 관찰을 통해 중년은 자기 자신 뿐만 아니라 타인과의 관계에서도 성숙한 인품을 발전시킬 수 있습니다. 상대방을 이해하는 데에 단순한 외부의 모습뿐만 아니라, 그의 행동 뒤에 있는 동기와 내면의 감정까지 이해하는 것이 중년의 더 나은 대인관계 형성과 긍정적인 성장을 이끌어내게 됩니다.

논어(論語) Insight

1. 행동을 관찰하라

행동의 관찰: 중년에게 있어서 중요한 것은 자신의 행동을 주의 깊게 관찰하는 것이다. 다른 사람의 행동을 본 뒤 그 동기를 살펴보고, 그들이 편안하게 여기는 것을 관찰함으로써 자신의 행동을 돌아볼 수 있다. 중년은 자기 행동이 인품과 삶에 어떤 영향을 미치는지를 심도 있게 고민해야 한다.

2. 동기를 탐구하라

중년에게 필요한 것은 자기 행동의 동기를 탐구하는 것이다. 왜 그런 선택을 하는지, 왜 그 행동을 하는지를 깊이 있게 이해함으로써 자신의 내면을 발견하고 이해할 수 있다. 중년은 자기 행동의 배후에 있는 동기를 분석하고 그것이 자신의 가치와 목표에 부합하는지를 고려해야 한다.

3. 자신을 표현하라

중년에게 중요한 것은 자신을 숨기지 않고 솔직하게 표현하는 것이다. 사람은 어떻게 자신을 숨길지 고민하는데, 중년은 오히려 자신의 내면을 드러내고 표현함으로써 진정한 자아를 찾아가야 한다. 중년은 자신이 무엇을 소중히 여기는지, 자신의 가치와 신념이 무엇인지를 공개적으로 표현함으로써 자신의 삶을 의미 있게 채워나가야 한다.

배우되 생각하라, 생각하되 배워라

"배우기만 하고 생각하지 않으면 얻는 것이 없고, 생각만 하고 배우지 않으면 위태롭다."《논어, 위정편》

중년은 변화와 성찰의 시기로, 개인이 지금까지 축적한 지식과 경험을 바탕으로 새로운 지평을 모색할 수 있는 중요한 시점입니다. 공자의 말처럼, 배움과 생각은 서로 보완적인 관계에 있으며, 이 두 요소는 중년에도 마찬가지로 중요합니다. 중년의 이 시기에 직면하는 도전과 기회를 통해 성장하고 발전하기 위해서는, 배움을 지속하면서 동시에 비판적 사고를 활용해야 합니다.

중년의 많은 이들은 이미 다양한 분야에서 상당한 경험과 지식을 축적해왔습니다. 하지만 세상은 끊임없이 변화하고 있으며, 새로운 기술, 사상, 문화적 흐름은 계속해서 나타나고 사라집니다. 이러한 변화에 적응하기 위해서는 지속적인 학습과 개인적 성장이 필수입니다. 배움은 새로운 지식을 습득하는 것뿐만 아니라, 기존의 지식을 새로운 상황에 적용하고, 이를 통해 새로운 통찰을 얻는 과정입니다.

단순히 지식을 습득하는 것만으로는 충분하지 않습니다. 공자가 지적했듯이, 생각하지 않으면 얻는 것이 없습니다. 중년은 자신의 경험과 지식을 통해 형성된 관점을 가지고 있지만, 이러한 관점은 때로는 새로운 학습을 방해할 수 있습니다. 따라서, 배운 내용을 비판적으로 분석하고, 다양한 관점에서 생각해 보는 것이 중요합니다. 이를 통해, 개인은 자신의 이해를 깊게 하고, 보다 유연하게 사고할 수 있게 됩니다.

중년에는 배움과 사고의 균형은 특히 중요합니다. 지속적인 학습은 새로운 아이디어와 기술에 대한 노출을 의미하며, 이는 창의적 사고와 혁신을 촉진합니다. 반면, 비판적 사고는 받아들인 지식을 분석하고 평가하는 데 필수이며, 이는 보다 심오한 이해와 지혜로 이어집니다. 중년에 이 두 가지를 조화롭게 결합한다면, 그들은 자기 삶에서

보다 풍부하고 의미 있는 변화를 경험할 수 있습니다.

중년은 변화와 성장의 시기입니다. 공자의 말처럼, 배움과 사고는 이 시기에 중요한 역할을 합니다. 중년의 사람들이 새로운 지식을 적극적으로 배우고, 깊이 있는 사고를 통해 그 지식을 자기 삶에 통합한다면, 그들은 자기 능력을 최대한 발휘하고, 삶의 후반부에 보다 큰 의미와 만족을 찾을 수 있습니다. 이러한 접근 방식은 개인이 변화하는 세계에서 자신의 위치를 확고히 하고, 자신의 삶에 대한 통제력을 유지하며, 새로운 도전과 기회에 대응하는 데 필수입니다.

논어(論語) Insight

1. 꾸준한 학습과 자기 계발에 힘써라

중년은 새로운 기술을 배우고, 지식을 확장하며, 개인적인 관심사를 탐구하는 기회의 시기다. 이 시기에는 새로운 취미를 시작하거나, 전문적인 기술을 개발하거나, 이전에 시간이 없어서 배우지 못했던 분야를 탐구하는 것이 중요하다. 지속적인 학습은 유연성을 유지하고, 변화하는 세상에 적응하는 능력을 높여준다.

2. 성찰로 자신의 가치를 재평가하라

학습 과정에서 중요한 것은 단순히 정보를 습득하는 것이 아니라, 그 정보를 분석하고, 비판적으로 평가하며, 자기 삶에 어떻게 적용할 수 있는지를 고민하는 것이다. 중년은 자기 경험과 지식을 바탕으로, 새롭게 배운 내용을 비판적으로 사고하고, 자기성찰을 통해 자신의 가치와 신념을 재평가할 수 있어야 합니다. 이러한 과정은 더 깊은 이해와 지혜로 이어진다.

3. 배우고 생각하고 실천하라

배움과 사고는 최종적으로 행동으로 이어져야 한다. 중년은 새롭게 습득한 지식과 깊은 사고를 통해 얻은 통찰을 실제 생활에 적용해야 한다. 학습과 성찰을 실제 삶의 변화와 발전으로 연결 짓는 것은 중년에게 핵심적인 과제다.

진실한 말과 얼굴로 살아가기

"교묘한 말을 하고 얼굴빛을 꾸미는 사람 가운데 어진 이가 드물다." 《논어, 학이편》

중년은 어느 때보다도 더 많은 고민과 선택을 안고 있는 특별한 시기입니다. 어릴 때의 활기찬 에너지와 더불어, 노년의 지혜를 겸비한 중년은 삶의 다양한 영역에서 도전과 기회를 마주하고 있습니다. 그러나 이 시기에 가장 소중한 것은 아마도 "진실한 말과 얼굴로 살아가기" 일 것입니다.

공자는 "교묘한 말을 하고 얼굴빛을 꾸미는 사람 가운데 어진 이가 드물다"라고 말했습니다. 이 말은 우리에게 중년의 중요성과 동시에 그 안에서 진실한 삶을 살아가는 지혜를 전해줍니다. 중년은 눈에 띄게 성숙한 시기이면서도, 그만큼 진실한 삶의 근본적인 가치를 깨닫게 하는 시기입니다.

첫째, 중년의 진실한 말은 가족과의 관계에서 더욱 중요한 역할을 합니다. 자녀들은 이제 성장한 채로 가족의 중심에 서 있을 것이며, 부부 관계는 새로운 변화와 도전을 맞이할 것입니다. 이때 소통과 진실한 대화가 없다면 가족은 서서히 얼어붙게 되고, 갈등의 씨앗이 싹트게 됩니다. 중년은 가족에게 진실한 사랑과 이해를 전달할 수 있는 시간이기도 합니다.

둘째, 진실한 얼굴로 살아가는 것은 직업적인 영역에서도 중요한 역할을 합니다. 중년은 이미 많은 경험을 쌓아왔으며, 이를 토대로 조직 내에서 중요한 역할을 수행하는 시기입니다. 그러나 가면을 쓰고 있는 것보다는 진실된 자신을 보여주는 것이 더욱 효과적입니다. 동료들과의 소통을 통해 팀의 흐름을 조절하고, 진실된 리더십을 통해 조직을 성공으로 이끌 수 있습니다.

셋째, 중년은 자기 자신에 대한 진실한 마주봄이 필요한 시기입니다. 지난 세월 속에서 쌓아온 경험과 실수, 성취들을 정직하게 평가하고 받아들이는 것은 중년이 새로운 도약을 위해 필수적입니다. 어떠한 어려움에 부딪혔을 때도 겉치레가 아닌 진실된 자신과의 대화를 통해 문제를 극복할 수 있을 것입니다.

마지막으로, 건강한 중년을 위해서도 진실한 얼굴로 살아가는 것이 중요합니다. 몸의 변화와 더불어 건강에 대한 책임감이 크게 부각되는 시기이기 때문입니다. 건강에 대한 진실한 관리와 주변에 도움을 청하는 것은 중년이 더욱 풍요로운 삶을 살아갈 수 있게 합니다.

논어(論語) Insight

1. 마음의 솔직함을 유지하라

중년에게 있어 진실한 말과 얼굴로 살아가기의 첫 번째 핵심은 마음의 솔직함을 유지하는 것이다. 자기 자신에게 솔직하게 대하고, 자신의 감정과 생각을 숨기지 말며 표현함으로써 마음의 깊이를 찾을 수 있다. 삶의 방향성을 명확하게 하기 위해서는 자기 자신에게 솔직해짐으로써 미뤄온 가치와 목표에 대한 깊은 이해를 얻게 된다.

2. 얼굴에 투영되는 진실한 감정을 지키라

중년은 얼굴에 투영되는 진실한 감정을 지키는 것이 중요하다. 얼굴은 말보다 더 많은 이야기를 전달할 수 있는데, 중년은 자신의 감정을 얼굴 표정에 숨기지 않고 표현함으로써 주변과의 소통에서 더 깊은 이해와 연결할 수 있다. 얼굴 표정이 진실하면, 주변에서도 진실된 대응과 응원을 받을 수 있다.

3. 고요함과 성숙함의 아름다움을 찾아가라

중년은 고요함과 성숙함을 통한 아름다움을 찾아가야 한다. 공자의 말처럼 교묘한 외적인 꾸밈보다 내면의 고요함과 성숙함이 중년을 빛나게 만든다. 외모나 사회적인 평가보다 내면에서 나오는 진실하고 성숙한 아름다움은 중년에게 더욱 강조되며, 삶의 풍요로움과 만족을 찾아갈 수 있다.

일관된 가치관을 유지하라

•
•
•

"덕으로 정치한다는 것은, 비유하자면 북극성은 제자리에 있고, 모든 별들이 그를 받들며 따르는 것과 같다." 《논어, 위정편》

중년은 삶의 여러 가지 변화와 시험에 직면하게 됩니다. 가족, 직업, 건강, 인간관계 등 다양한 측면에서 압박과 요구가 중년의 가치관을 도전하고 시험합니다. 이런 상황에서 중년이 안정과 평온을 유지하고자 한다면 일관된 가치관을 유지해야 합니다.

가치관은 개인의 도덕적인 규범이자 행동의 지침입니다. 중년은 자신의 가치관을 명확하게 이해하고, 그것을 일관되게 실천함으로써 내적 안정과 외적 성공을 이룰 수 있습니다. 가치관은 북극성처럼 제자리에 있는 것이 아니라,

지속적인 노력과 의지가 필요합니다.

첫째, 일관된 가치관은 중년의 삶에 안정성을 부여합니다. 변화의 바람 속에서 일관된 별의 길잡이가 되는 것처럼, 일관된 가치관은 중년의 삶을 안정적으로 이끌어 줍니다. 삶의 어려움과 도전이 닥쳤을 때, 가치관을 향해 고착되어 있는 중년은 자신의 방향을 잃지 않고 꿋꿋하게 나아갈 수 있습니다.

둘째, 일관된 가치관은 중년의 신뢰를 얻게 합니다. 사회적으로 덕을 지키는 사람은 신뢰와 존경을 받습니다. 중년이 일관된 가치관을 보여주면 주변 사람들은 그를 믿고 따르게 됩니다. 이는 가정에서부터 직장, 사회까지 다양한 영역에서 중요한 실질적인 이점을 가져다 줍니다.

셋째, 일관된 가치관은 중년의 자아실현을 돕습니다. 가치관에 따라 행동하는 것은 자신의 내적인 목표와 일치시킵니다. 중년이 자신의 가치관을 따르면서 삶을 살아가면, 자기의 내면과 외면이 조화를 이루며, 진정한 의미 있는 삶을 실현할 수 있습니다. 이는 중년이 자신의 존재와 가치를 인정하고 존중하는 과정에서 비롯됩니다.

결론적으로 중년은 삶의 중요한 단계에서 안정과 만족을

찾고자 합니다. 이를 위해서는 일관된 가치관을 유지하는 것이 필요합니다. 북극성처럼 제자리에 있는 것처럼, 중년은 자신의 내적인 별을 향해 나아가야 합니다. 이를 통해 안정성, 신뢰, 자아실현을 찾을 수 있을 것입니다. 중년의 삶은 덕과 선을 따라가는 여정입니다. 일관된 가치관을 유지하면서 중년은 그 여정을 보다 의미 있고 풍요롭게 만들어 나갈 수 있습니다.

논어(論語) Insight

1. 안정된 삶의 기반을 쌓아가라

중년이 어떻게 살아가야 하는지를 고민할 때, 일관된 가치관을 유지하는 것이 중요하다. 이것은 마치 북극성이 제자리에 서면서도 모든 별들을 안정적으로 이끌어 오듯이, 가치관을 중심으로 삶의 기반을 안정적으로 쌓아가는 것과 유사하다. 안정성은 중년에게 중요한 요소로 작용한다.

2. 도전에 대응하는 끈기를 길러라

가치관을 일관되게 유지함으로써 중년은 어떤 도전에도 끈기있게 대응할 수 있는 자세를 기를 수 있다. 북극성이 자신의 위치를 유지하듯이, 일관된 가치관은 중년이 마주하는 여러 어려움에 대처할 수 있는 강인한 의지를 부여한다. 이는 끈기를 키우고 어려운 시기에도 흔들리지 않는 태도를 유지할 수 있게 도와준다.

3. 목표를 향한 방향을 설정하라

일관된 가치관은 중년이 자기 삶에 대한 목표와 방향성을 찾아가는 데 도움을 준다. 마치 북극성이 모든 별들을 안정적으로 이끌어오듯이, 가치관 중심의 목표는 중년의 삶에 새로운 의미와 방향성을 부여한다. 중년은 이를 통해 목표를 향해 나아가며 더 나은 삶을 만들어 나갈 수 있다.

어진 마을에 거주하라

• • •

"마을의 풍속이 어질어야 아름답다. 어질지 않은 곳을 선택하여 거처한다면 어찌 지혜롭다 하겠는가?" 《논어, 리인편》

중년은 자신의 삶을 돌아보고 미래를 계획하는 중요한 시기입니다. 이때 우리는 거주지 선택의 중요성을 다시 한 번 깨닫게 됩니다. 공자가 말한 "마을의 풍속이 어질어야 아름답다. 어질지 않은 곳을 선택하여 거처한다면 어찌 지혜롭다 하겠는가?"는 거주지의 중요성을 강조하는 말입니다. 이는 단순히 물리적인 환경을 넘어서 거주지의 사회적, 문화적 환경이 개인의 삶에 미치는 영향을 시사합니다.

먼저 어진 마을이란 어떤 곳일까요? 어진 마을은 단순

히 아름다운 풍경이나 편리한 시설을 갖춘 곳이 아니라, 그곳에 사는 사람들의 마음가짐과 행동양식이 서로를 존중하고 지원하는 문화를 만들어 내는 곳입니다. 이러한 마을은 구성원들이 서로 도우며 함께 성장할 수 있는 환경을 제공합니다.

둘째, 중년에 어진 마을에서 거주하는 것이 왜 중요한가에 대해 생각해 봅시다. 중년은 인생의 여러 변화가 겹치는 시기로, 직업, 가족, 건강 등 여러 면에서 중대한 결정을 내려야 할 때가 많습니다. 이러한 변화의 시기에 어진 마을에서의 거주는 안정적인 사회적 지원망을 제공하고, 개인의 성장과 발전을 도모하는 데 큰 도움이 됩니다. 또한, 긍정적인 커뮤니티 환경은 스트레스 관리에도 크게 기여합니다.

셋째로, 어진 마을을 선택하는 것은 개인의 가치관을 반영합니다. 우리가 어디에서 살기로 결정하는 것은 단순히 생활의 편리성뿐만 아니라, 우리가 중요하게 여기는 가치와 어울리는지 여부를 고려하는 결정입니다. 따라서 어진 마을에서의 거주는 자신의 가치를 실현하고자 하는 욕구의 표현이기도 합니다.

결국, 중년에 어진 마을에서 거주하는 것은 단순한 거주지 선택을 넘어서는 의미를 가집니다. 이는 자신과 가족의 삶의 질을 높이고, 개인적 가치를 실현하며, 더 큰 사회와 긍정적으로 연결되고자 하는 욕구의 반영입니다. 공자의 말처럼, 어질지 않은 곳을 선택하여 거처하는 것은 지혜롭지 못한 결정일 것입니다. 따라서 우리는 거주지를 선택함에 있어 그 지역의 사회적, 문화적 환경을 신중하게 고려해야 하며, 어진 마을에서의 거주를 통해 보다 풍요롭고 의미 있는 중년의 삶을 영위할 수 있습니다.

논어(論語) Insight

1. 환경의 중요성을 인식하라

중년에는 자신을 둘러싼 환경이 개인의 정서, 건강, 그리고 삶의 질에 큰 영향을 미친다는 것을 인식해야 한다. 어진 마을, 즉 긍정적이고 지지적인 커뮤니티에서의 생활은 안정감을 제공하고, 스트레스를 줄이며, 삶의 만족도를 높일 수 있다.

2. 공동체와 연결을 강화하라

중년에는 사회적 관계의 질이 더욱 중요하다. 어진 마을에서의 거주는 이웃과의 긴밀한 관계 형성을 가능하게 하며, 서로를 지지하고 돕는 공동체 의식을 강화한다. 이는 개인적 성장은 물론, 공동체 내에서의 역할과 책임감을 느끼는 데에도 중요하다.

3. 가치관에 따라 살아가라

어진 마을에서의 거주 선택은 개인의 가치관과 삶의 방향성을 반영한다. 중년에는 자신이 중요하게 여기는 가치를 실현할 수 있는 환경에서 살아갈 필요가 있다. 이는 자신의 정체성을 확립하고, 삶에 대한 만족과 의미를 더해준다.

불평보다는 만족하는 삶

"어질도다, 안회여! 한 그릇의 밥과 한 표주박의 물을 가지고 누추한 거리에 살고 있으니, 보통 사람이라면 그런 근심을 견뎌내지 못하겠지만, 안회는 그 즐거움이 변치 않는구나. 저질도다, 안회여!" 《논어, 옹야편》

중년에 접어든 삶은 종종 우울과 불만이 뒤섞이는 시기로 여겨집니다. 과거의 성취와 현재의 현실 사이의 간극, 그리고 미래에 대한 불안이 중년의 많은 사람들을 괴롭히곤 합니다. 그러나 고전 문학에서도 발견되는 명언들은 우리에게 영감을 주고, 불평보다는 만족하는 삶을 추구하는 지혜를 전합니다.

공자의 말씀은 우리에게 불평보다는 만족하는 삶의 중요성을 가르칩니다. "어질도다, 안회여!"는 우리가 가진 소중한 것들에 대한 감사와 만족의 중요성을 강조합니다. 이는 불평과 불만의 마음을 버리고, 현재의 현실을 받아들이고 그 안에서 행복을 찾는 데 중요한 메시지입니다.

첫째, 안회의 삶은 우리에게 감사와 만족을 가르칩니다. 안회는 누추한 환경과 가난한 생활 속에서도 즐거움을 찾습니다. 한 그릇의 밥과 한 표주박의 물로도 만족하는 안회의 태도는 우리가 가진 것들에 대한 감사와 만족의 중요성을 상기시킵니다. 우리는 종종 미래를 향한 욕망과 완벽한 삶을 추구하며 현재에 불만을 품곤 합니다. 그러나 안회의 삶은 우리에게 현재의 순간을 즐기고 감사하는 태도를 가르칩니다.

둘째, 안회는 우리에게 용기와 긍정적인 마음가짐의 중요성을 알려줍니다. 안회가 겪는 어려움과 가난 속에서도 긍정적으로 삶을 대하는 모습은 우리에게 용기와 희망을 전합니다. 그는 근심과 어려움을 이겨내며 즐거움을 찾습니다. 이는 우리가 어려운 시기에도 긍정적으로 마음을 가지고 힘든 상황을 이겨내며 행복을 찾아야 한다는 중요한 교훈입니다. 우리는 안회의 삶에서 용기를 얻고, 긍정적인 마음가짐으로 삶의 어려움을 극복할 수 있습니다.

셋째, 안회는 우리에게 자신의 가치와 만족을 찾는 법을 가르칩니다. 안회는 가난한 생활 속에서도 즐거움을 찾습니다. 그는 외부적인 것들에 의존하지 않고 자신에게서 행복을 찾습니다. 이는 우리가 자신에게서 자신의 가치와 만족을 찾아야 한다는 교훈을 전합니다. 우리는 종종 성취나 소유물에 의해 우리의 가치를 판단합니다. 그러나 안회의 삶은 우리에게 자신의 내면을 바라보고 내적으로 행복을 찾는 것의 중요성을 상기시킵니다.

결론적으로, 안회의 삶은 우리에게 불평보다는 만족하는 삶의 중요성을 가르칩니다. 그는 우리에게 감사와 만족의 태도, 용기와 긍정적인 마음가짐, 그리고 자신의 내면에서 행복을 찾는 법을 가르칩니다. 우리는 안회의 삶에서 중요한 교훈을 얻고, 불평보다는 만족하는 삶을 추구하여 더 행복하고 충만한 삶을 살아갈 수 있습니다.

논어(論語) Insight

1. 소박함으로 만족을 찾아라

중년에는 삶을 단순하고 소박함을 추구하는 것이 중요하다. 안회처럼 단순한 생활에서도 만족과 행복을 찾을 수 있는 능력을 기르는 것이 필요하다. 이는 물질적 소유나 외부적 성공에 대한 집착을 줄이고, 현재의 순간과 가진 것에 감사하는 마음을 갖는 것을 의미한다.

2. 내면의 평온과 행복을 중시하라

중년은 외부 환경이나 타인의 평가에 의존하지 않고, 자신에게서 평온과 행복을 찾는 시기다. 이는 자기 자신과의 관계를 깊게 탐구하고, 자신의 가치와 열정에 집중하며, 자기 자신을 있는 그대로 받아들이는 것에서 시작한다. 내면의 만족은 외부 조건이 변해도 지속될 수 있는 깊은 행복의 원천이 된다.

3. 긍정적 태도를 유지하라

중년에는 삶의 도전과 어려움에도 불구하고 긍정적인 태도를 유지하고, 작은 것에서도 감사할 수 있는 마음을 키우는 것이 중요하다. 감사의 태도는 우리가 경험하는 삶의 질을 높이고, 일상의 작은 순간들에서도 기쁨을 찾을 수 있게 한다. 이는 타인과의 관계를 강화하고, 삶의 긍정적인 측면에 더 집중하게 만들어 준다.

2부

논어(論語) Insight

자기실현

남이 가는 길은 내 길이 아니다

"담대멸명이라는 자가 있는데, 그는 길을 갈 때 지름길로 가지 않고, 공적인 일이 아니고는 저의 집에 온 적이 없습니다." 《논어, 옹야편》

사람들은 종종 다른 이들이 택한 길을 따르며 자신의 삶을 살아갑니다. 그러나 중년에 접어든 이들은 자신만의 길을 찾고자 하는 욕구가 강해집니다. "담대멸명이라는 자가 있는데, 그는 길을 갈 때 지름길로 가지 않고, 공적인 일이 아니고는 저의 집에 온 적이 없습니다."라는 이 구절은 우리에게 남이 가는 길은 내 길이 아니라는 교훈을 전합니다.

우리는 종종 타인의 성공이나 행복을 향해 그들의 행동을 모방하려는 경향이 있습니다. 그러나 '담대멸명'의 예시에서처럼, 우리는 타인의 길을 따라가지 않고 자신만의 길을 찾아야 합니다. 우리는 각자 다른 가치관, 능력, 관심사를 가지고 있기에 다른 이들의 선택이 반드시 우리에게 적합한 선택은 아닙니다. 타인의 행복이나 성공을 따라가는 것이 자신의 진정한 행복을 찾는 것은 아닙니다.

중년에는 특히 자신만의 길을 찾는 과정에서 더욱 중요한 결정을 내려야 합니다. 지금까지의 삶에서의 경험과 배움을 바탕으로, 자신의 가치와 욕구를 재평가하고 새로운 길을 모색해야 합니다. '담대멸명'은 공적인 일이 아니고는 저의 집에 온 적이 없다고 합니다. 이는 우리가 타인의 기준이나 사회적 압력에 따라 행동하지 않고, 자신의 가치관과 목표를 중시해야 한다는 것을 상기시킵니다.

우리는 자신만의 길을 찾기 위해 용기와 결단력이 필요합니다. 타인의 평가나 외부적인 성공에 너무 많은 관심을 기울이지 않고, 자신에게 귀 기울여야 합니다. 중년은 새로운 시작을 위한 좋은 시기입니다. 과거의 성취나 실패를 돌아보고, 앞으로의 삶에 대한 비전을 세워야 합니다. 타인의 가는 길이 아니라 자신만의 길을 찾기 위해 우리는 용기를 가져야 합니다.

결론적으로, 자신의 가치와 목표를 중시하고, 타인의 선택이나 성공에 영향을 받지 않고 자신만의 길을 찾아야 합니다. 과거의 경험과 현재의 상황을 고려하여 새로운 길을 모색하고 결단력 있게 나아가야 합니다.

중년에 접어든 우리는 자신의 삶을 새롭게 평가하고, 더 나은 방향으로 나아가기 위한 결정을 내려야 합니다. 타인의 성공이나 행복을 따라가는 것이 아니라, 자신의 가치와 욕구를 중시하고 이를 바탕으로 자신만의 길을 찾아야 합니다. 우리는 자신의 소리를 듣고, 용기를 가져 새로운 도전에 나서야 합니다. 이것이 바로 중년에 접어든 우리가 가져야 할 태도이며, 더 나은 미래를 향한 첫걸음입니다.

논어(論語) Insight

1. 자신의 가치관에 충실하라

중년에는 사회적 압력이나 타인의 기대에 휘둘리기 쉽지만, 자신의 가치와 원칙에 기반하여 결정을 내리는 것이 중요하다. 담대멸명처럼, 남들이 선택하는 지름길이 아닌, 자신이 옳다고 믿는 길을 선택해야 한다. 이는 경력 결정, 생활 방식의 선택과 일상적인 결정에 이르기까지 모든 영역에서 적용된다.

2. 독립적인 사고로 행동하라

중년은 자신의 삶에 대한 깊은 이해와 자기 주도적인 삶을 살기에 이상적인 시기다. 사회적 통념이나 대중적인 경로를 따르기보다는, 자신만의 경로를 개척하는 것이 중요하다. 이는 새로운 취미를 개발하거나, 비전통적인 경력 경로를 탐색하거나, 자신만의 생활 방식을 디자인하는 것을 포함할 수 있다.

3. 자신의 삶을 존중하고 감사하라

중년은 자신의 여정을 되돌아보고, 그 과정에서 얻은 지혜와 경험을 존중하는 것이 중요하다. 남들과의 비교를 통해 자신의 가치를 판단하기보다는, 자신의 성취와 성장을 인정하고 감사하는 태도를 가져야 한다. 이러한 긍정적인 자기 인식은 자신감을 증진시키고, 앞으로의 도전에 대한 준비를 강화한다.

모든 사람에게 배워라

•
•
•

"세 사람이 길을 걸어간다면, 그 중에는 반드시 나의 스승이 될 만한 사람이 있다. 그들에게서 좋은 점은 본받고, 그들의 좋지 않은 점으로는 나 자신을 바로 잡는다."《논어, 술이편》

삶은 끊임없는 학습의 과정이며, 우리는 모든 사람으로부터 무언가를 배울 수 있습니다. "세 사람이 길을 걸어간다면, 그 중에는 반드시 나의 스승이 될 만한 사람이 있다."라는 공자의 말씀은 모든 사람으로부터의 배움을 중요시하고, 그들의 장점을 본받으며 부족한 부분을 보완해 나가야 함을 상기시켜줍니다.

우리는 종종 자신의 지식과 경험에만 의존하여 세상을 바라보는 경향이 있습니다. 그러나 중년에는 새로운 시각과 지식을 얻기 위해 열린 마음을 가져야 합니다. "세 사람이 길을 걸어간다면" 우리는 그들로부터 다양한 면에서 배울 수 있는 것들이 있다는 것을 깨닫게 됩니다. 우리의 스승은 우리 주변에 있을 수도 있고, 책이나 온라인 세계에서 발견될 수도 있습니다.

우리는 모든 사람으로부터 배울 수 있는 것들이 있다는 것을 인정해야 합니다. 다른 이들의 경험과 지식을 통해 새로운 시각을 얻을 수 있고, 자신의 성장과 발전에 도움을 받을 수 있습니다. 우리는 다른 이들의 장점을 본받고, 그들의 실수와 부족한 점을 통해 자신을 바로 잡아 나가야 합니다. 모든 사람은 우리에게서 무언가를 배울 수 있으며, 이러한 다양성은 우리의 성장과 발전에 기여할 수 있습니다.

중년에는 자신의 성장을 위해 더욱 열린 마음을 가지고 모든 사람으로부터의 배움을 받아들여야 합니다. 우리는 자신의 스승이 될 만한 사람들을 찾아 그들로부터 배우고, 자신의 모습을 계속해서 발전시켜 나가야 합니다. 이러한 자세를 통해 더 나은 사람이 되고, 더욱 풍요로운 삶을 살아갈 수 있습니다.

결론적으로, 우리에게 모든 사람으로부터의 배움을 인정하고 중요시해야 함을 상기시켜 줍니다. 중년은 스스로에게 열린 마음을 가져야 합니다. 우리의 성장과 발전을 위해 다른 이들로부터의 배움을 중요시하고, 그들로부터 좋은 점은 본받고 나 자신을 바로 잡아 나가야 합니다. 모든 사람은 우리에게서 무언가를 배울 수 있으며, 이러한 다양성을 존중하고 활용함으로써 우리는 더 나은 사람이 되고 더욱 풍요로운 삶을 살아갈 수 있습니다.

논어(論語) Insight

1. 열린 마음으로 타인의 경험과 지식을 수용하라

중년에는 과거의 경험과 지식에 의존하는 경향이 있다. 그러나 세상은 끊임없이 변하고 발전하고 있기에 새로운 시대의 도전과 기회를 이해하기 위해서는 열린 마음이 필요하다. 모든 사람으로부터 배울 점이 있고, 다양한 의견과 경험을 존중하며 수용하는 태도를 가지는 것이 중요하다.

2. 자신을 반성하고 성장하라

공자의 말씀처럼, 우리는 다른 이들의 좋은 점을 본받을 뿐만 아니라 그들의 좋지 않은 점을 통해 나 자신을 바로잡아 나가야 한다. 중년은 자아 성찰과 성장의 시기다. 자신의 부족한 점을 깊이 반성하고, 변화와 발전을 통해 더 나은 사람이 되기 위한 노력을 기울여야 한다.

3. 겸손하고 존중하며 대인관계를 유지하라

모든 사람으로부터 배워야 한다는 태도는 겸손함과 존중의 마음가짐에서 비롯된다. 우리는 다른 이들의 경험과 지식을 무시하거나 폄훼하는 것이 아니라, 그들을 존중하고 배울 수 있는 점을 찾아야 한다. 이러한 태도는 건강한 대인관계를 유지하고 상호 이해와 협력을 이루는 데 도움이 된다.

묵묵히 그리고 꾸준히

•
•
•

"묵묵히 아는 것에 힘쓰고, 배움을 싫증내지 않고, 사람을 가르치기를 게을리 하지 않는 것, 이 셋 중에 내가 제대로 하는 것이 있겠는가?" 《논어, 술이편》

중년에는 과거의 경험과 성취에 안주하기 쉽습니다. 그러나 "묵묵히 아는 것에 힘쓰고, 배움을 싫증내지 않고, 사람을 가르치기를 게을리 하지 않는 것"이라는 논어의 말씀은 우리에게 묵묵히 그리고 꾸준히 노력하는 중요성을 알려줍니다.

먼저, 묵묵히 아는 것에 힘쓰는 것은 우리가 가진 지식과 경험을 꾸준히 발전시키고 활용하는 것을 의미합니다. 중년에는 더 이상 새로운 것을 배우는 것이 중요하지 않다고 생각하기 쉽지만, 끊임없는 학습과 발전은 우리의 지적 성장과 삶의 질을 높이는 데에 큰 역할을 합니다. 우리는 묵묵히 지식을 쌓고, 그것을 실생활에 적용함으로써 자신의 역량을 향상시킬 수 있습니다.

둘째, 배움을 싫증 내지 않는 것은 우리가 새로운 도전에 두려움을 느끼거나 지루함을 느낄 때에도 포기하지 않고 끈질기게 노력하는 것을 의미합니다. 중년에는 새로운 기술이나 환경에 적응하는 데 어려움을 겪을 수 있지만, 우리는 그것을 극복하고 성장하는 기회로 받아들여야 합니다. 배움을 싫증내지 않고 꾸준히 노력하는 것은 우리의 성장과 발전에 핵심적인 역할을 합니다.

셋째, 사람을 가르치기를 게을리 하지 않는 것은 우리가 가진 지식과 경험을 다른 이들과 나누고 공유하는 것을 의미합니다. 중년에 접어든 우리는 자신이 쌓아온 지식과 경험을 후손이나 주변 사람들과 공유함으로써 그들의 성장과 발전을 도울 수 있습니다. 또한 우리는 다른 이들로부터 배우는 것만이 아니라, 우리가 가르치는 과정에서도 새로운 통찰력을 얻고 성장할 수 있습니다.

결론적으로, "묵묵히 아는 것에 힘쓰고, 배움을 싫증내지 않고, 사람을 가르치기를 게을리 하지 않는 것"이라는 논어의 말씀은 우리에게 묵묵히 그리고 꾸준히 노력하는 중요성을 알려줍니다. 중년에는 과거의 성취에 안주하지 않고, 끊임없는 학습과 발전을 추구해야 합니다. 우리는 새로운 도전에 두려움을 느끼지 않고, 배움을 포기하지 않는 끈질긴 자세를 가져야 합니다. 또한 자신의 경험과 지식을 다른 이들과 나누고 공유함으로써 그들의 성장과 발전을 도울 수 있습니다. 이러한 자세를 통해 우리는 더 나은 사람이 되고, 더욱 풍요로운 삶을 살아갈 수 있을 것입니다.

논어(論語) Insight

1. 지식과 경험을 꾸준히 쌓아가자

중년에는 과거의 성취에 안주하지 않고, 끊임없이 새로운 지식과 경험을 쌓아가야 한다. 묵묵히 아는 것에 힘쓰는 것은 우리가 지식을 습득하고 활용하는 것을 의미한다. 꾸준한 학습과 자기 계발을 통해 우리는 자신의 역량을 높이고, 삶의 다양한 도전에 대비할 수 있다.

2. 포기하지 않고 계속해서 성장하자

중년은 새로운 도전에 두려움을 느끼기 쉬운 시기다. 그러나 배움을 싫증내지 않고 끈질기게 노력하는 것이 중요하다. 우리는 실패와 어려움을 만나더라도 포기하지 않고 계속해서 성장해야 한다. 꾸준한 노력과 인내는 우리를 더 나은 방향으로 이끌어 준다.

3. 타인에게 베풀고 나누자

사람을 가르치기를 게을리하지 않는 것은 우리가 가진 지식과 경험을 주변 사람들과 나누는 것을 의미한다. 중년에 접어든 우리는 자신의 지식과 경험을 활용하여 다른 이들을 도울 수 있다. 또한 우리는 타인의 의견과 경험을 존중하고 듣는 것 또한 중요하다. 서로를 존중하고 배우고 나눔으로써 우리는 더욱 풍요로운 삶을 살아갈 수 있다.

말은 신중하게, 행동은 민첩하게

•
•
•

"군자는 말은 어눌하게 하고, 행동을 민첩하게 하려 한다."
《논어, 리인편》

중년은 경험과 지식이 축적된 시기이면서 동시에 새로운 도전에 대한 용기와 열정이 필요한 시기이기도 합니다. 그러므로 중년에게는 현명한 선택과 행동의 민첩함이 모두 필요합니다.

먼저, "말은 신중하게(어눌하게)"는 중년이 어느 시점에서든 신중하게 의사소통하고 결정을 내리는 중요성을 강조합니다. 중년은 이미 삶의 다양한 경험을 통해 많은 것을 배웠고, 이를 토대로 자신의 의견을 표현하고 행동해야 합니다. 그러나 그것이 말하는 것은 즉흥적이거나 경솔해서는 안 됩니다. 중년은 그들의 말이 지혜롭고 삶의 지혜를 반영하도록 해야 합니다. 예를 들어, 가족 문제나 직장에서의 문제에 대해 의사소통할 때 신중한 언어와 고려 깊은 말투가 필요합니다. 중년은 자신의 경험을 바탕으로 타인에게 도움을 주는 한편, 다른 이의 의견에도 경청하고 존중해야 합니다.

또한, "행동은 민첩하게"는 중년이 새로운 도전에 대해 두려움 없이 나아갈 준비가 되어 있어야 한다는 것을 의미합니다. 중년은 이미 삶의 도전에 맞서 왔으며, 그들의 경험과 지식을 바탕으로 새로운 도전에 대처할 준비가 되어 있습니다. 그러나 이는 곧 행동의 민첩함이 필요하다는 것을 의미합니다. 중년은 새로운 환경에 빠르게 적응하고 변화에 대처할 수 있는 유연성을 갖춰야 합니다. 예를 들어, 새로운 기술이나 산업 트렌드에 발 맞추기 위해 학습하고 자신의 기술을 발전시키는 것이 중요합니다. 또한, 가족 구성원이나 직장 동료들과의 관계에서 유연하고 긍정적으로 대처하여 적절한 해결책을 찾아내야 합니다.

결론적으로, "말은 신중하게, 행동은 민첩하게"라는 속담은 중년에게 지혜롭고 효과적인 삶을 살기 위한 중요한 가이드가 될 수 있습니다. 중년은 자신의 말과 행동에 대해 신중함과 민첩함을 유지하면서, 자신의 경험과 지식을 활용하여 새로운 도전에 안정적으로 대처할 수 있습니다. 이는 중년이 자신의 삶을 보다 의미 있고 만족스럽게 살아갈 수 있는 방법을 제시합니다. 따라서 중년은 이러한 속담을 마음에 새기고, 매 순간을 신중하게 깊이 생각하고 민첩하게 행동함으로써 더 나은 삶을 이루어 나가야 합니다.

논어(論語) Insight

1. 신중하게 의사소통을 하라

중년에는 말 한마디의 무게와 영향력을 잘 알고 있어야 한다. 말을 신중하게 함으로써 오해를 줄이고, 의도를 명확히 전달할 수 있다. 이는 가족, 친구, 직장 동료와의 관계에서 중요한 역할을 하며, 신뢰와 존중의 기반을 마련한다.

2. 적극적인 행동으로 의지를 보여라

중년은 삶에서 얻은 경험을 바탕으로 목표를 실현할 수 있는 시기다. 말보다는 행동으로 자기 능력과 의지를 보여주는 것이 중요하다. 새로운 기회를 적극적으로 탐색하고, 변화에 민첩하게 대응하며, 목표를 향해 끊임없이 나아가야 한다.

3. 자기 반성과 꾸준히 성장하라

중년에는 자신의 말과 행동을 꾸준히 반성하고 평가하는 과정이 필요하다. 이를 통해 개인적인 성장을 이루고, 자신의 잠재력을 최대한 발휘할 수 있다. 항상 배우고자 하는 자세와 개선을 위한 노력은 중년의 삶을 더욱 풍요롭고 의미 있게 만든다.

행동이 말보다 중요하다

"재여가 낮잠을 자고 있자, 공자께서 말씀하셨다. '썩은 나무에는 조각을 할 수 없고 더러운 흙으로 쌓은 담장에는 흙손질을 할 수 없다. 재여에 대해 무엇을 꾸짖겠는가? 처음에 나는 사람을 볼 때 그의 말을 듣고는 그의 행실을 믿었는데, 이제는 그의 말을 듣고도 그의 행실을 살펴보게 되었다. 재여로 인해 내 생각을 바꿨다.'" 《논어, 공야장편》

삶에서 언행의 일치는 근본적인 덕목 중 하나입니다. 공자의 제자 중 하나였던 재여의 이야기는 이러한 교훈을 깊이 있게 전달합니다. 공자는 재여가 낮잠을 자는 모습을 보며, 겉모습만으로 사람을 판단했던 자신의 과거 방식에 대해 반성합니다. 이는 특히 중년에게 더욱 큰 의미를 가지는데, 이 시기는 이미 많은 경험을 쌓은 상태에서 진정한 가치와 인격이 무엇인지를 깊이 있게 성찰하는 시기이기 때문입니다.

본문은 겉으로 드러나는 말보다 실제 행동이 더 중요하다는 교훈을 전달합니다. 중년은 많은 경험과 함께 무수히 많은 말들을 듣고, 말하고, 판단해 온 시기입니다. 이 시기에는 특히 자신의 말과 행동이 일치하는지, 진정성이 있는지를 깊이 성찰하는 것이 중요합니다. 공자가 재여에 대해 말한 것처럼, 겉으로 보이는 말만으로 사람을 판단하거나 신뢰하지 않게 되었다는 것은 중년이 되어서야 비로소 깨달은 중요한 진리일 수 있습니다.

실제로, 중년에는 직장에서의 리더십, 가정에서의 역할, 사회적 관계 등 다양한 분야에서 자신의 말과 행동이 일치하는지를 끊임없이 점검해야 합니다. 예를 들어, 리더로서 팀원들에게 정직과 투명성을 강조하면서 자신은 그러지 못한다면, 이는 큰 모순이며 신뢰를 잃게 만드는 지름길이 될 것입니다. 가정에서도 자녀에게 성실함과 정직함을 가르치려 한다면, 부모 자신부터 그러한 모범을 보여야 합니다.

이러한 맥락에서 공자의 말은 중년의 삶에 있어서 매우

시의적절합니다. "썩은 나무에는 조각을 할 수 없고, 더러운 흙으로 쌓은 담장에는 흙손질을 할 수 없다."는 말은, 한번 신뢰를 잃으면 회복하기 어렵다는 것을 상징합니다. 따라서, 중년에는 자신의 말과 행동에 더 큰 책임감을 가지고, 진정성을 가지고 행동하는 것이 중요합니다.

재여의 이야기는 단순히 과거의 한 장면을 넘어서, 현대 사회, 특히 중년은 삶의 경험이 집약되어 자신의 가치와 행동에 대해 깊이 성찰하는 시기이기에, "행동이 말보다 중요하다"는 교훈은 더욱 절실하게 다가옵니다.

논어(論語) Insight

1. 진정성 있는 삶을 살라

중년에는 자신의 말과 행동이 일치하는지 끊임없이 점검하며 살아야 한다. 사회적, 직업적, 가정적 역할에서 정직하고 책임감 있는 행동을 통해 진정성 있는 삶을 실천해야 한다. 이는 자신뿐만 아니라 주변 사람들에게도 긍정적인 영향을 미치며, 신뢰와 존경을 얻는 기반이 된다.

2. 자신의 가치를 깊이 성찰하라

중년은 삶의 다양한 경험을 통해 배운 교훈을 성찰하고, 자신의 가치와 행동에 대해 깊이 고민하는 시기다. 이 시기에는 자신의 과거 행동을 반성하고, 더 나은 사람이 되기 위한 개인적 성장을 추구해야 한다. 이는 자신의 삶을 풍요롭게 하고, 더 나은 미래를 위한 기반을 마련한다.

3. 행동으로 모범을 보여라

중년은 사회적, 직업적 위치에서 영향력을 가질 수 있는 시기다. 이 시기에는 자신의 행동으로 모범을 보이며, 주변 사람들에게 긍정적인 변화를 이끌어낼 수 있는 리더십을 발휘해야 한다. 자신의 행동이 말보다 더 큰 영향력을 가지며, 이를 통해 주변 사회와 커뮤니티에 긍정적인 기여한다.

네 가지를 하지 말라

●
●
●

"공자는 네 가지를 하지 않았다. 제멋대로 생각해 억측하지 않았고, 반드시 이루려고 하지 않았으며, 고집을 부리지 않았고, 자기를 내세우지도 않았다." 《논어, 자한편》

중년은 경험과 지혜로 가득 차 있지만, 가끔 자신의 경험과 지식에 과도하게 의지하거나 고집하며 자아를 내세우는 경향이 있습니다. 이러한 행동은 때로 성장과 관계를 방해할 수 있습니다. 공자의 말씀처럼 중년에는 네 가지를 하지 않는 것이 중요합니다. 제멋대로 생각하지 말고, 억측하지 말며, 반드시 이루려고 하지 말고, 고집하지 않으면서도 자기를 내세우지 않는다면, 우리는 보다 성숙하고 풍요로운 삶을 살아갈 수 있습니다.

중년에게 네 가지를 하지 않는다는 것은 새로운 시점에

서 자신을 돌아보고 변화의 필요성을 받아들이는 것입니다.

첫째, 제멋대로 생각하지 않는다는 것은 우리의 생각과 행동이 타인에게 영향을 미칠 수 있음을 인식하는 것입니다. 중년에는 다양한 경험을 통해 축적된 지식을 가지고 있지만, 이것이 모든 상황에 대한 답이 되지는 않습니다. 다른 이의 의견을 경청하고 존중하는 자세가 필요합니다.

둘째, 억측하지 않는다는 것은 주관적인 판단과 가정에 기반한 결정을 내리지 않는다는 의미입니다. 중년은 과거의 경험을 토대로 현재를 판단하기 쉽지만, 이로 인해 잘못된 결정을 내릴 수도 있습니다. 과거의 편견에 얽매이지 않고 현재 상황을 정확하게 파악하며 판단하는 능력이 중요합니다.

또한, 반드시 이루려고 하지 않는다는 것은 욕심을 버리고 현재의 만족을 추구하는 것입니다. 중년에는 자신의 목표와 욕구를 다시 점검하고, 적절한 기대를 갖는 것이 중요합니다. 욕심을 내려놓고 현재의 삶을 충실히 살아가면서 내적인 만족을 찾아야 합니다.

마지막으로, 고집하지 않으면서도 자기를 내세우지 않는

다는 것은 타협과 융통성을 갖는 것입니다. 중년은 타인과의 관계에서 타협과 배려가 필요합니다. 자신의 의견을 존중하면서도 타인의 의견을 수용하고 조율하는 능력이 중요합니다.

결론적으로, 중년에는 공자의 지혜를 되새겨 보며 네 가지를 하지 않는 것이 우리에게 주는 깊은 교훈을 받아들여야 합니다. 제멋대로 생각하지 않고, 억측하지 않으며, 반드시 이루려고 하지 않으면서도 고집하지 않고, 자기를 내세우지 않는다면 우리는 보다 성숙하고 풍요로운 삶을 살아갈 수 있습니다. 이러한 지혜를 바탕으로 중년의 삶을 더욱 의미있고 풍요롭게 채워 나가야 합니다.

논어(論語) Insight

1. 유연한 사고를 가져라

중년은 제멋대로 생각하지 말아야 한다. 과거의 경험과 지식에만 의존하여 현재를 판단하는 것이 아니라, 새로운 아이디어와 관점을 수용할 수 있는 유연한 사고가 필요하다. 또한 억측하지 않아야 한다. 타인의 의도를 과대평가하거나 가정하지 말고, 직접 소통하여 오해를 방지하고 신뢰를 쌓는 것이 중요하다.

2. 목표에 집착하지 않고 현재에 집중하라

중년은 반드시 이루려고 하지 않아야 한다. 지나간 것에 과도하게 집착하지 말고, 미래에 대한 과도한 욕망에 사로잡히지 않아야 한다. 대신 현재의 순간을 즐기고, 현재의 일에 집중하여 내면의 평화와 만족을 찾아야 한다.

3. 겸손과 타인을 존중하는 자세를 가져라

중년은 고집을 부리지 않아야 한다. 자신의 의견이나 가치를 과시하는 것보다는 타인의 의견을 경청하고 존중하는 자세가 중요하다. 또한 자기를 내세우지 않는 것이 중요하다. 자신의 업적이나 지위에 굳이 자부심을 갖지 말고, 겸손한 자세를 유지하여 다른 이들과의 관계를 건강하게 유지해야 한다.

지혜, 어짊, 용기를 갖춰라

●
●
●

공자가 말했다. "지혜로운 사람은 미혹되지 않고, 어진 사람은 근심하지 않으며, 용기 있는 사람은 두려워하지 않는다."《논어, 자한편》

중년, 인생에서 한 편의 중요한 장면이자 전환점입니다. 이 순간에는 과거의 성공과 실패, 현재의 책임과 미래에 대한 두려움이 교차합니다. 그러나 중년은 지혜, 어짊, 용기를 통해 이 변화를 긍정적으로 대처할 수 있습니다.

먼저, 중년에게 필요한 것은 지혜입니다. 지혜란 경험과 깨달음을 통해 얻는 것으로, 어떤 상황에서도 현명하게 판단하고 행동할 수 있는 능력입니다. 중년은 이미 삶의 다양한 측면을 경험해 왔기 때문에 이를 통해 많은 지혜를 얻을 수 있습니다. 성공과 실패, 기쁨과 슬픔을 경험하며 쌓인 지혜는 중년에게 큰 자산이 됩니다. 이를 통해 중년은 미래에 대한 두려움을 극복하고 새로운 방향을 모색할 수 있습니다. 지혜는 중년이 다양한 선택과 상황에 대해 더 나은 판단을 내릴 수 있게 도와줍니다. 예를 들어, 가족 문제나 경제적 어려움에 직면했을 때, 중년은 지혜를 바탕으로 상황을 분석하고 적절한 해결책을 모색할 수 있습니다.

다음으로 중년에게 필요한 것은 어짊입니다. 어짊은 고요한 마음과 안정된 정서를 의미합니다. 중년은 가족, 직장, 사회적 의무 등 다양한 압박과 책임이 더해집니다. 이를 이겨내기 위해서는 어짊이 필수입니다. 어짊은 일상적인 스트레스와 감정의 기복에 대처하는 능력을 의미합니다. 중년은 어짊을 통해 갈등을 해소하고 건강한 관계를 유지할 수 있습니다. 또한, 어짊은 내적 안정을 통해 외부의 변화나 어려움에 대처할 수 있는 기반을 제공합니다. 중년은 어진 마음가짐을 유지하고 상황을 최선으로 해결할 수 있습니다.

마지막으로, 중년에게 필요한 것은 용기입니다. 용기는

두려움을 이겨내고 새로운 도전에 나서는 능력입니다. 중년은 이미 안정된 삶을 살고 있는 경우가 많기에 새로운 시도나 변화에 대한 두려움이 큽니다. 그러나 용기를 발휘하여 새로운 도전에 나서면 새로운 경험과 성취감을 얻을 수 있습니다. 중년은 용기를 발휘하여 과거의 실수나 실패를 받아들이고 새로운 시작을 할 수 있습니다. 중년은 이미 많은 것을 경험했기에 실패에 대한 두려움보다는 배움과 성장을 중시해야 합니다.

결론적으로, 중년은 과거의 경험과 현재의 현실을 바탕으로 지혜롭게 살아가야 합니다. 미혹되지 않고, 근심하지 않으며, 두려워하지 않는 삶을 살기 위해서는 지혜, 어짊, 용기가 필수입니다. 중년에게는 과거의 경험과 현실의 인식을 바탕으로 더 나은 미래를 향해 나아가는 방법을 찾아야 합니다. 이를 통해 중년은 자아실현과 만족을 찾을 수 있습니다.

논어(論語) Insight

1. 지혜롭게 살아가라

중년은 지난 경험과 깨달음을 바탕으로 현명한 판단을 내리고 행동해야 한다. 과거의 성공과 실패를 통해 배운 지혜를 활용하여 미래에 대비하고, 삶의 방향을 재조정해야 한다. 또한, 지혜로운 중년은 갈등 상황에서도 자신의 감정을 이해하고 관리할 수 있어 가족 및 사회관계를 유지하는 데 도움이 된다.

2. 어진 마음가짐으로 살아가라

중년은 안정된 정서와 고요한 마음가짐을 갖춰야 한다. 일상적인 스트레스와 감정의 기복에 대처하면서도 내적 안정을 유지하고, 주변과의 관계를 건강하게 유지해야 한다. 어진 중년은 변화와 어려움에 대처하는데 있어서도 더욱 탄탄한 기반을 갖출 수 있다.

3. 용기를 발휘하며 살아가라

중년은 새로운 도전에 대한 두려움을 극복하고, 변화를 받아들일 용기를 가져야 한다. 안주하기 쉬운 안정적인 삶에서 벗어나 새로운 경험과 성장을 위해 나서야 한다. 용기 있는 중년은 과거의 실패와 실수를 두려워하지 않고 새로운 시작을 할 수 있으며, 삶의 다음 단계에서 더욱 의미 있는 경험을 쌓을 수 있다.

실력은 걱정을 몰아낸다

공자가 말했다. "남이 알아주지 못함을 걱정하지 말고, 자신의 무능함을 걱정해야 한다." 《논어, 헌문편》

중년은 무거운 책임과 기대가 어김없이 눈앞에 나타나는 시기입니다. 이것은 현재의 위치와 미래의 방향에 대한 의문을 안고 있는 시기이기도 합니다. 그러나 과거의 실패나 미완성에 대한 걱정은 오히려 우리의 성장과 발전을 방해할 수 있습니다. 공자의 말처럼, 다른 사람들의 평가나 인식에 집착하는 것보다는 우리 자신의 실력을 향상시키는 것이 중요합니다. 이를 통해 우리는 걱정과 불안을 몰아낼 수 있으며, 중년에도 안정과 성취를 이룰 수 있습니다.

우리는 종종 다른 사람들의 시선을 의식하여 자신의 부

족함에 대해 과도하게 걱정하곤 합니다. 중년에는 특히 이러한 걱정이 더욱 두드러지게 나타날 수 있습니다. 친구, 가족, 동료들의 성공에 비교하여 자신의 성과를 평가하고, 그에 따라 무능함이나 부족함을 느끼게 됩니다. 그러나 이러한 외부 평가나 비교는 우리의 성장을 위해 중요하지 않습니다. 오히려 이러한 걱정은 우리의 자신감을 훼손시키고, 성공을 가로막는 장애물이 될 수 있습니다.

그 대신에, 우리는 자신의 능력과 기술을 향상시키는 데 집중해야 합니다. 중년에는 무엇이든 새로운 것을 배우고 개선할 수 있는 훌륭한 시기입니다. 과거의 경험을 토대로 더 나은 결정을 내리고, 새로운 기술이나 지식을 습득하여 자신의 전문성을 높일 수 있습니다. 이를 통해 우리는 자신의 능력과 자신감을 향상시키며, 미래에 대한 걱정을 줄일 수 있습니다.

실력으로 걱정을 몰아낸다는 것은 우리가 무엇을 할 수 있는지에 대한 자신감과 확신을 의미합니다. 자신의 능력을 향상시키는 과정에서는 실패와 오류가 불가피합니다. 그러나 이러한 실패는 우리가 더 나은 결과를 얻기 위해 노력하는 데 필요한 경험입니다. 중년에는 실패를 두려워하지 말고 오히려 그것을 배우고 성장의 기회로 삼아야 합니다. 우리는 자신의 한계를 넘어서는 데 도전하고, 지속적인 개선을 통해 더 나은 버전의 자신을 만들어 나갈 수 있습니다.

결국, 중년에 우리가 진정으로 걱정해야 할 것은 자신의 무능함입니다. 다른 사람들의 평가나 비교에 집착하는 것은 성장과 발전을 방해할 뿐입니다. 우리가 실력을 향상시키고, 능력과 자신감을 높일 때에만 걱정을 몰아낼 수 있습니다. 중년에도 새로운 도전을 받아들이고, 계속해서 발전해 나가는 자신을 믿고 지지하면, 안정과 성취를 이루며, 풍요로운 인생을 살아갈 수 있습니다.

논어(論語) Insight

1. 자기 계발에 집중하라

중년에는 자기 계발에 집중하여 실력을 키워야 한다. 자신의 강점과 약점을 파악하고, 부족한 부분을 보완하며 계속해서 성장해야 한다. 새로운 기술을 배우고, 지식을 쌓으며 자기 계발에 노력하는 것이 중요하다. 이를 통해 자신의 실력을 향상시키고 더 나은 미래를 준비할 수 있다.

2. 걱정과 비교에 집착하지 말라

중년에는 과거의 실패나 다른 사람들의 성공에 대해 과도하게 걱정하거나 비교하는 것을 피해야 한다. 남의 시선이나 인식에 과도하게 의존하는 것보다는 자기 능력과 성장에 집중해야 한다. 자기 자신을 인정하고 존중하는 자세를 유지하면서 무너짐 없이 앞으로 나아갈 수 있다.

3. 도전과 성장을 즐겨라

중년은 새로운 도전을 받아들이고 자기 발전에 힘써야 하는 시기다. 실패와 어려움이 있을 수 있지만, 그것을 극복하고 성장하는 과정을 즐길 수 있어야 한다. 새로운 경험을 쌓고 삶의 다양한 영역에서 도전을 통해 성장하며, 자신만의 길을 찾아가야 한다. 이를 통해 중년의 삶을 더욱 풍요롭게 만들 수 있다.

사랑은 강요하지 않는다

•
•
•

자공이 물었다. "평생토록 지니면서 지켜야 할 말씀이 있습니까?" 공자가 대답했다. "바로 '서(恕)'이니라. 자기가 하고자 하지 않는 것을 다른 사람에게 베풀지 말라.《논어, 위령공편》

사랑에 대한 우리의 이해는 종종 감정적인 열정과 결합되어 있습니다. 하지만, 정말로 깊은 사랑은 서로를 이해하고 존중하는 데에 기반을 둔다고 말합니다. 공자의 말씀처럼, 평생을 통해 우리는 서로를 이해하고 지켜야 할 말씀을 배웁니다. 그 중요한 가르침 중 하나는 사랑은 강요하지 않는다는 것입니다.

우리가 사랑에 빠지면 종종 상대방에게 우리가 원하는 대로 행동하고 생각하길 바랍니다. 하지만, 진정한 사랑은 그러한 강요 없이 이루어집니다. 사랑은 서로의 존엄성을 존중하고 그들이 원하는 방식으로 자유롭게 자신을 표현할 수 있도록 허용하는 것입니다. 우리가 누군가를 사랑한다면, 그들을 우리의 의지에 따라 행동하도록 강요하는 것이 아니라, 그들의 고유한 존재를 인정하고 존중해야 합니다.

사랑은 자유롭고 편안한 공간에서 자라납니다. 강요나 제약이 있는 환경에서는 진정한 사랑이 발전하기 어렵습니다. 그러므로 우리는 서로의 자유를 존중하고 서로에게서 강요를 피해야 합니다. 이것이 사랑이 강요하지 않는다는 것의 본질입니다.

또한, 사랑은 이해와 양보가 필요합니다. 우리는 서로를 완벽하게 이해할 수 없습니다. 따라서 때로는 상대방의 선택이나 행동을 이해하지 못할 수 있습니다. 그러나 이것은 우리가 그들을 사랑하지 않는다는 것을 의미하지 않습니다. 오히려 그들의 선택과 행동을 이해하고 존중함으로써 더 깊은 사랑을 형성할 수 있습니다. 강요하지 않는 사랑은 이해와 양보를 기반으로 하며, 이는 서로를 더 잘 이해하고 서로의 차이를 존중함을 의미합니다.

결론적으로, 사랑은 강요하지 않습니다. 진정한 사랑은 서로를 이해하고 존중함으로써 형성되며, 강요나 제약 없는 자유로운 공간에서 성장합니다. 우리는 공자의 말씀처럼, 서로에게 사랑을 강요하지 말고 서로의 자유를 존중해야 합니다. 이것이 진정한 사랑의 본질이며, 이것이 우리가 평생을 통해 배워야 할 소중한 교훈 중 하나입니다.

논어(論語) Insight

1. 자기를 이해하고 받아들여라

중년은 자신의 가치관과 성향을 잘 이해하고 받아들여야 한다. 과거의 실수나 부족함에 대해 후회하거나 자책하는 대신, 과거를 통해 배운 교훈을 받아들이고 자신을 사랑하며 성장해야 한다. 자기를 이해하고 받아들임으로써 내적 안정과 평화를 찾을 수 있다.

2. 타인을 이해하고 배려하라

중년은 주변 사람들과의 관계에서도 서(恕)의 가치를 실천해야 한다. 타인의 마음을 이해하고 그들의 감정을 존중하며, 강요나 제약 없는 자유로운 관계를 유지해야 한다. 타인을 이해하고 배려함으로써 건강한 대인관계를 유지하고 풍요로운 삶을 살아갈 수 있다.

3. 자기와 타인에 대한 관용을 키워라

중년은 자기와 타인에 대한 관용을 키우는 것이 중요하다. 완벽한 사람은 없으며, 모두가 실수하고 부족함을 안고 있다. 이를 이해하고 관용하는 마음가짐을 갖추어야 한다. 자기와 타인에 대한 관용을 키우면서 서로를 이해하고 받아들이는 공감과 연민의 마음을 기를 수 있다.

이로운 친구와 해로운 친구를 구분하라

공자가 말했다. "이로운 벗도 셋이요, 해로운 벗도 셋이다. 정직한 사람과 벗하고, 성실한 사람과 벗하며, 아는 것이 많은 사람과 벗하면 이롭다. 편벽한 사람과 벗하고, 줏대 없는 사람과 벗하며, 말 잘하는 사람과 벗하면 해롭다."
《논어, 계씨편》

중년은 가족 이외의 인간관계가 더욱 중요하다는 것을 깨닫게 됩니다. 그러나 공자의 말처럼, 우리는 이로운 친구와 해로운 친구를 구분해야 합니다. 진정한 우정은 우리 삶을 더 풍요롭게 만들어 주지만, 해로운 우정은 우리를 깊은 상처로 이끌 수 있습니다.

우선, 정직하고 성실한 친구와의 관계는 중년에 있어서 귀중한 보호막입니다. 정직하고 성실한 친구는 우리를 위해 항상 진실되게 행동하고, 우리의 이익을 최우선으로 생각합니다. 그들은 우리를 위해 언제나 뒷받침해 주며, 어려운 시간에도 우리 곁을 지지해 줍니다. 이로운 친구와 함께하는 시간은 우리에게 큰 위안과 힘을 줍니다.

또한, 아는 것이 많은 사람과의 우정은 우리에게 새로운 지식과 경험을 제공합니다. 함께 지식을 공유하고 서로에게서 배우는 과정을 통해 우리는 인생의 다양한 측면을 탐험할 수 있습니다. 아는 것이 많은 사람과의 우정은 우리를 더욱 풍요롭고 지적으로 성장시키며, 삶에 대한 보다 깊은 이해와 폭넓은 시야를 가져다 줍니다.

그러나 반대로 편벽하고 줏대 없는 사람과의 관계는 중년에 더욱 조심해야 합니다. 편벽하고 줏대 없는 사람은 우리의 가치관과 관심사가 맞지 않을 뿐만 아니라, 우리를 어려운 상황에 내몰거나 비난하는 경우도 있습니다. 그들과의 우정은 종종 우리의 정신적이나 정서적 안정을 위협할 수 있습니다.

마지막으로, 말 잘하는 사람과의 우정은 우리를 혼란과 위험에 빠뜨릴 수 있습니다. 말 잘하는 사람은 종종 우리의 마음을 혼란스럽게 만들고, 우리를 오도하거나 조종할 수 있습니다. 그들은 우리를 위장한 욕망이나 이기심으로 접근할 수 있으며, 우리의 관계나 결정에 부정적인 영향을 미칠 수 있습니다.

결론적으로, 중년에게 진정한 우정은 우리 삶에서 소중한 보물입니다. 이로운 친구는 우리를 지지하고 격려하며, 함께 성장하고 발전할 수 있는 토대를 제공합니다. 그러나 해로운 친구는 우리를 어려움에 몰거나, 우리의 가치관을 흔들거나, 우리를 상처 주는 경우가 있습니다. 중년에 우리는 이로운 친구와 함께 시간을 보내며 진정한 우정과 연대를 경험하고, 해로운 친구와는 건강한 거리를 유지함으로써 우리의 삶을 더욱 풍요롭게 만들어 나가야 합니다.

논어(論語) Insight

1. 진실하고 성실한 사람과 깊은 관계 형성하라

중년이 이로운 친구를 만나기 위해서는 진실하고 성실한 사람과 깊은 관계를 형성해야 한다. 서로를 이해하고 신뢰할 수 있는 사람과의 우정으로 안정감을 느끼고 성장한다. 진실하고 성실한 사람과 함께하면 우리의 삶은 보다 풍요로워진다.

2. 지식과 경험을 공유하는 사람들과 교류하라

중년에는 아는 것이 많은 사람들과 교류를 통해 더욱 풍부한 경험과 지식을 얻을 수 있다. 우리는 서로를 이해하고 존중하는 관계를 형성하며, 서로 지식과 경험을 공유함으로써 함께 성장할 수 있다. 아는 것이 많은 사람과 함께 시간을 보내면 우리의 시야가 넓어지고 삶에 대한 이해도가 높아진다.

3. 부정적인 영향을 줄 수 있는 사람들과의 거리 유지하라

중년에는 편벽한 사람이나 줏대 없는 사람, 말 잘하는 사람과의 거리를 유지하는 것이 중요하다. 이들과의 관계는 종종 우리의 정서적이나 정신적 안정을 해치고, 우리의 삶에 부정적인 영향을 미칠 수 있다. 따라서 우리는 건강한 우정을 위해 이들과의 거리를 유지하고, 이로운 친구와의 관계를 더욱 강화해야 한다.

3부

논어(論語) Insight

자 기 극 복

품격으로 경쟁하라

●
●
●

"군자는 경쟁하지 않으나 활쏘기에서는 경쟁한다. 그러나 절하고 사양하며 활쏘는 자리에 오르고, 내려와 술을 마시니 그 경쟁은 군자답다." 《논어, 팔일편》

중년은 인생에서 경쟁이 불가피한 시기일 수 있지만, 이때 중요한 것은 경쟁 방식입니다. 공자가 언급한 바와 같이, 군자는 단순히 승리를 위해 경쟁하지 않으며, 심지어 경쟁하는 상황에서도 품격과 예의를 잃지 않습니다.

품격 있는 경쟁은 단순히 승리를 목표로 하는 것이 아니라, 과정에서의 정직성, 존중, 그리고 상호 간의 이해를 중시하는 것을 의미합니다. 중년은 직장에서 승진, 사업에서의 성공, 혹은 개인적인 목표 달성 등 다양한 분야에서 경쟁에 직면하게 됩니다. 이때 중요한 것은 목표를 향해 나아가는 과정에서 자신의 가치와 원칙을 지키는 것입니다.

경쟁 상황에서 예의와 존중을 유지하는 것은 품격 있는 경쟁의 핵심입니다. 공자가 언급한 활쏘기 경기처럼, 경쟁자에게 절하고, 사양하며, 상대방을 존중하는 태도를 보여야 합니다. 이는 중년이 직장 내에서 동료들과 협력하거나, 사업 파트너와 협상을 진행할 때 특히 중요합니다. 상대방을 존중하고 그들의 의견을 경청함으로써, 경쟁은 건설적인 결과를 낳습니다.

품격 있는 경쟁은 또한 자기 성장의 기회가 됩니다. 경쟁을 통해 중년은 자신의 한계를 시험하고, 새로운 기술을 배우며, 자신의 능력을 강화할 수 있습니다. 이 과정에서 중요한 것은 승리 자체보다는 자신의 발전과 개선에 초점을 맞추는 것입니다. 경쟁을 자기 성장의 도구로 활용함으로써, 중년의 사람들은 삶의 이 시기에도 계속해서 발전하고 변화합니다.

중년의 경쟁은 피할 수 없는 현실이지만, 이때 중요한 것은 그 경쟁을 어떻게 수행하는가입니다. "품격으로 경쟁하라"는 중년이 경쟁 과정에서 자신의 가치와 원칙을 지키며, 상대방을 존중하고, 자신의 성장과 발전에 집중할 수 있도록 격려합니다. 이 원칙을 따름으로써, 중년의 사람들은 자신의 삶에서 더욱 의미 있는 성과를 달성할 수 있습니다. 경쟁은 단순히 타인을 이기는 것 이상의 가치를 지니며, 올바르게 접근하면 자신을 더욱 발전시키고 주변 사람들과의 관계를 강화하는 기회가 됩니다.

논어(論語) Insight

1., 예의와 존중에 최선을 다하라

중년의 경쟁에서는, 승패와 상관없이 예의와 존중을 항상 유지하는 것이 중요하다. 이는 동료, 경쟁자, 그리고 자신에게도 마찬가지다. 경쟁 상황에서도 상대방의 의견을 경청하고, 그들의 성과를 인정하며, 모든 상황에서 품격 있는 행동을 유지함으로써, 중년의 사람들은 자신의 성숙함과 지혜를 보여준다.

2. 공정한 경쟁을 추구하라

중년에게, 공정한 방식으로 경쟁하는 것이 중요하다. 규칙과 윤리를 준수하고, 정직한 방법으로 자신의 목표를 추구함으로써, 중년의 사람들은 자신의 성취가 진정으로 가치 있는 것임을 확신할 수 있다. 이는 직장에서의 승진, 사업에서의 성공, 또는 개인적인 목표 달성과 같은 상황에서 적용된다.

3. 경쟁을 자기 성장에 초점을 맞춰라

중년의 경쟁은 단지 타인을 이기는 것이 목적이 아니라, 자기 자신이 발전하고 성장하는 기회로 삼아야 한다. 경쟁 과정에서 얻은 경험과 교훈을 통해, 중년의 사람들은 자신의 능력을 강화하고, 새로운 기술을 배우며, 자신의 한계를 넓힐 수 있다. 이러한 자세는 중년을 더욱 충실하고 의미 있는 시기로 만들어준다.

기쁨과 슬픔은 마음을 상하게 한다

"<관저>는 즐거우면서도 지나치지 않고, 슬프면서도 마음을 상하게 하지는 않는다."《논어, 팔일편》

중년은 인생의 다양한 경험에서 오는 기쁨과 슬픔을 균형 있게 받아들여야 하는 시기입니다. 공자의 이 교훈은 감정의 극단을 피하고 내면의 평화를 유지하는 중요성을 강조합니다.

기쁨은 인생의 중요한 부분이지만, 지나친 기쁨은 때때로 무모한 결정이나 과도한 기대감으로 이어질 수 있습니다. 중년은 성취, 가족의 성장, 경력의 발전 등으로 큰 기쁨을 느낄 수 있으며, 이러한 순간들을 충분히 즐기면서도 현실적인 관점을 유지하는 것이 중요합니다. 즐거움을 적당히 누리면서도 다가올 변화나 도전에 대비하는 태도는 중년의 안정성을 유지하는 데 도움이 됩니다.

인생에서 슬픔은 피할 수 없는 측면 중 하나입니다. 중년에는 직업적 변화, 가족 구성원의 상실, 건강 문제 등으로 인한 슬픔을 경험할 수 있습니다. 슬픔을 부정하거나 억제하기보다는 이를 받아들이고 건강하게 표현하는 것이 중요합니다. 슬픔을 통해 자신을 더 깊이 이해하고, 감정을 공유함으로써 지원 네트워크와의 연결을 강화할 수 있습니다.

기쁨과 슬픔 사이의 균형을 찾는 것은 중년의 정서적 건강에 필수입니다. 성찰, 명상, 취미 생활 등을 통해 마음의 평화를 찾고, 감정의 극단을 피할 수 있습니다. 또한, 심리적 탄력성을 키우는 것은 예기치 않은 사건에 대응하고 감정의 안정성을 유지하는 데 도움이 됩니다. 이러한 실천은 중년이 기쁨과 슬픔을 건강하게 경험하고, 마음을 상하지 않도록 보호하는 데 중요합니다.

중년은 기쁨과 슬픔이 교차하는 인생의 복잡한 시기입니다. "즐거우면서도 지나치지 않고, 슬프면서도 마음을 상하게 하지는 않는다."는 원칙은 중년이 이러한 감정을 적절히 관리하고 마음의 평화를 유지하는 방법을 제시합니다. 기쁨을 적당히 즐기고, 슬픔을 건강하게 표현하며, 감정의 균형을 찾는 것은 중년의 감정적 안정과 성장에 꼭 필요합니다. 감정의 극단을 피하고 마음의 평화를 추구함으로써, 중년은 삶의 변화와 도전에 더 잘 대응할 수 있으며, 자신의 경험을 통해 지혜와 통찰을 얻을 수 있습니다. 중년은 자신의 감정에 대해 깊이 성찰하고, 감정을 조절하는 기술을 발전시키는 것이 중요합니다.

논어(論語) Insight

1. 감정의 균형을 유지하라

중년에는 삶의 기쁨과 슬픔을 적절히 관리하는 균형을 유지하는 것이 중요하다. 기쁨을 지나치게 추구하거나 슬픔에 너무 깊이 빠지지 않도록 주의해야 한다. 이는 감정의 극단을 피하고, 일상에서의 작은 즐거움을 소중히 하며, 슬픔을 겪을 때는 그것을 받아들이되 자신을 돌보는 것을 의미한다.

2. 마음의 평화를 추구하라

중년은 감정적인 폭풍을 겪을 때 내면의 평화를 유지하는 방법을 찾아야 한다. 요가, 취미 생활, 혹은 대화와 같은 활동을 통해 스트레스를 관리하고, 감정적 안정을 찾는 것이 중요하다. 이러한 실천은 기쁨과 슬픔의 순간 모두에서 마음을 상하게 하지 않고 감정의 균형을 찾는 데 도움이 된다.

3. 감정의 탄력성을 강화하라

중년은 변화와 도전이 많은 시기이므로, 감정 탄력성을 키우는 것이 필수다. 이는 어려운 상황을 긍정적으로 대처하고, 슬픔이나 좌절에서 빠르게 회복하는 능력을 의미한다. 건강한 사회적 네트워크를 유지하고, 긍정적인 자기 대화를 실천하며, 삶의 어려움에서 배울 교훈을 찾는 것이 중요하다.

중년이 피해야 할 세 가지

"윗자리에 있으면서 너그럽지 않고, 예를 실천하는데 공경하지 않으며, 상을 당하여 슬퍼하지 않는다면 내가 무엇으로 그 사람을 인정해 주겠는가?" 《논어, 팔일편》

중년은 개인의 성장과 변화가 교차하는 시기입니다. 이 시기에는 삶의 경험과 지혜가 깊어지지만, 동시에 여러 도전과 시험에 직면하게 됩니다. 공자의 가르침에서 언급된 바와 같이, 이 시기에는 특히 자만심, 무관심, 그리고 무감각함과 같은 부정적인 특성을 멀리해야 합니다. 이러한 특성들은 개인의 성장을 방해하고 인간관계를 손상시킬 뿐만 아니라, 삶의 질을 떨어뜨리는 원인이 됩니다.

첫째, 자만심은 중년에 피해야 할 중요한 태도입니다. 자만심은 자신의 능력이나 성취를 과대평가하며, 타인의 의견이나 조언을 경시하는 경향이 있습니다. 이는 협력과 상호 존중의 정신을 약화하고, 개인적인 성장을 제한합니다. 공자는 윗자리에 있으면서도 너그럽지 않은 사람을 경계하라고 했는데, 이는 높은 위치에 있더라도 겸손하고 배울 준비가 되어 있어야 함을 의미합니다.

둘째, 무관심은 중년의 삶에서 벗어나야 할 또 다른 태도입니다. 무관심은 주변 환경이나 타인의 감정에 대한 무감각함에서 비롯되며, 공동체 의식이나 동료애를 약화시킵니다. 공자는 예를 실천하는 데 공경하지 않는 것을 비판했습니다. 예절과 전통을 존중하는 것은 타인과의 관계를 조화롭게 유지하는 데 필수적인 요소이며, 무관심은 이러한 조화를 깨뜨립니다.

셋째, 무감각함은 중년에 경계해야 할 성향입니다. 상을 당하여 슬퍼하지 않는다는 공자의 말은, 인간의 감정과 고통에 대한 공감 능력의 중요성을 강조합니다. 중년의 삶에서 무감각함은 인간 관계의 깊이와 질을 저하시키고, 삶의 풍요로움을 감소하는 요인이 됩니다. 감정을 이해하고 공감하는 능력은 사회적 유대감을 강화하고, 타인과의 긍정적인 상호작용을 촉진하는 데 중요합니다.

중년은 변화와 성장의 기회를 제공하지만, 동시에 여러 도전에 직면하게 됩니다. 공자의 가르침을 현대적 상황에 적용해 볼 때, 자만심, 무관심, 그리고 무감각함은 이 시기에 특히 경계해야 할 태도로 부각됩니다. 이러한 태도들은 개인의 내면적 성장을 방해하고, 타인과의 관계를 악화시키며, 결국 삶의 질을 저하시킵니다.

자만심을 피하고 겸손한 태도를 유지함으로써, 우리는 끊임없이 배우고 성장할 기회를 가질 수 있습니다. 무관심을 멀리하고 주변에 대한 관심과 배려를 갖춤으로써, 우리는 공동체와의 긴밀한 관계를 유지하고 사회적 유대감을 강화할 수 있습니다. 마지막으로, 무감각함을 극복하고 타인의 감정에 공감하는 능력을 키움으로써, 우리는 인간 관계의 질을 향상시키고 삶의 풍요로움을 누릴 수 있습니다.

논어(論語) Insight

1. 너그러움과 관용을 발휘하라

중년에는 사회적, 가정적으로 높은 위치에 있을 수 있지만, 이는 더 큰 너그러움과 관용을 발휘해야 하는 시기임을 의미한다. 리더십과 권위를 행사하되, 이를 통해 타인에 대한 이해와 배려를 실천해야 한다. 너그러움은 타인의 실수를 용서하고, 다양한 의견을 포용하는 태도에서 나타난다.

2. 예의와 존중을 실천하라

중년은 사회 관계와 역할이 복잡해지는 시기로, 예의와 존중을 실천하는 것이 중요하다. 이는 단순히 예절을 지키는 것을 넘어서, 타인의 가치와 입장을 인정하고 존중하는 태도를 포함한다. 직장에서는 동료와 부하 직원에 대한 존중을, 가정에서는 가족 구성원의 개성과 공간을 존중하는 것이 필요하다.

3. 감정을 이해하고 공감하라

삶의 고난과 상실에 직면했을 때, 슬픔과 고통을 인정하고 이를 통해 성장하는 것이 중년의 삶에서 중요하다. 자신의 감정을 이해하고, 타인의 감정에 공감하는 능력을 키워 나가는 것은 인간관계를 깊게 하고, 삶의 만족도를 높인다. 이는 또한 타인의 어려움과 고통에 공감하고 지지를 제공하는 능력을 의미하기도 한다.

매 순간 이익을 앞세우지 말라

"이익에 따라서 행동하면 원한을 사는 일이 많아진다."
《논어, 리인편》

인간은 본성적으로 이익을 추구하는 존재입니다. 이익을 얻기 위해 노력하고, 그에 따라 행동하는 것은 우리의 생활에서 불가피한 부분입니다. 그러나 공자의 이 말씀은 이익에만 집착하는 삶이 결국 원한과 갈등을 초래한다는 것을 시사합니다. 특히 중년에 이르러서는 이러한 교훈이 더욱 중요해집니다. 중년은 삶의 중간 지점에서 자아 발견과 다시 성장하는 시기로, 순수한 이익 추구보다는 더 깊은 가치와 의미를 찾는 과정이 필요합니다.

중년이 매 순간 이익을 앞세우지 말아야 하는 이유는 여러 가지가 있습니다.

첫째, 이익에만 집착하는 삶은 결국 공허함을 느끼게 합니다. 돈이나 성공으로만 채워진 삶은 마음의 깊은 곳에서 만족을 느끼지 못합니다. 중년에 이르러서는 외적인 성취보다 내적인 평화와 만족을 추구해야 합니다. 노동력이 떨어지고 가족이나 친구와의 소통이 중요해지는 시기에는 이러한 내적 안정이 더욱 필수입니다.

둘째, 이익에만 집착하는 삶은 사회적 관계를 파괴할 수 있습니다. 이기적인 행동과 이익 추구는 종종 다른 사람과의 관계를 파괴하고 갈등을 초래합니다. 중년에는 가족, 친구, 동료들과의 관계가 더욱 중요해집니다. 이러한 관계를 유지하고 발전시키기 위해서는 이기적인 이익 추구보다는 타인을 배려하고 협력하는 마음이 필요합니다. 이는 결국 보다 풍요로운 인간관계를 만들어가는 데 도움이 됩니다.

셋째, 이익에만 집착하는 삶은 성장을 방해합니다. 중년은 삶의 새로운 의미를 발견하고 성장하기 위한 소중한 시기입니다. 이러한 성장은 종종 편안한 영역을 벗어나고 새로운 도전에 맞서는 것이 필요합니다. 이익만을 추구하는 삶은 안정과 편안함을 추구하는데 집중하여 새로운 경험과 도전으로부터 멀어지게 만듭니다. 중년은 성장을 위해 편안한 영역을 벗어나고 새로운 도전에 맞서는 용기가 필요합니다.

결론적으로, 중년에 이르러서는 매 순간 이익을 앞세우지 말아야 한다는 공자의 교훈은 우리에게 큰 지혜를 전합니다. 이익만을 추구하는 삶은 결국 공허하고 외로운 삶으로 이어질 수 있습니다. 중년은 새로운 가치와 의미를 찾는 과정으로, 이익 추구보다는 만족과 외적인 관계를 중시해야 합니다. 중년에는 내면의 성장과 타인과의 관계를 발전시키기 위해 이익에만 집착하는 삶을 떠나야 합니다. 그러므로 중년에 있어서는 매 순간 이익을 앞세우지 말고, 대신에 내적인 평화와 타인을 배려하는 마음가짐으로 더욱 풍요로운 인생을 살아가야 합니다.

논어(論語) Insight

1. 장기적인 관계와 신뢰를 구축하라

중년은 인간 관계에서의 진정성과 신뢰가 더욱 중요해진다. 단기적인 이익보다는 장기적인 관계를 우선하며, 친구, 가족, 동료와의 신뢰를 바탕으로 한 건강한 관계를 유지해야 한다. 이는 깊이 있는 인간 관계를 통해 삶의 질을 향상시키고, 상호 지지와 이해를 바탕으로 한 공동체 의식을 강화한다.

2. 내면의 가치와 만족을 추구하라

중년은 자신의 내면을 돌아보고, 진정으로 중요한 것이 무엇인지 재평가하는 시기다. 외부적인 이익이나 사회적 성공보다 자신의 가치관, 열정, 그리고 행복을 추구해야 한다. 취미, 자기 계발, 가족과 시간 등 자신에게 진정한 만족과 기쁨을 주는 활동에 더 많은 시간과 에너지를 투자하는 것이 중요하다.

3. 도덕적 원칙과 진실성에 충실하라

이익을 추구하는 행동은 때때로 윤리적 원칙과 충돌할 수 있다. 중년에는 자신의 행동과 결정이 도덕적 가치와 일치하는지 항상 자문해야 한다. 진실성, 정직, 책임감과 같은 원칙을 삶의 기준으로 삼아야 하며, 이익을 넘어서 올바른 일을 선택하는 데 용기를 가져야 한다.

닮아야 할 것만 닮아라

"어진 이를 보면 그와 같아질 것을 생각하고, 어질 못한 것을 보면 자신 또한 그렇지 않은지를 반성한다." 《논어, 리인편》

논어의 이 말씀은 자신의 행동과 태도를 반성하고 성장하는 데 있어서 중요한 지침을 제공합니다. 중년은 과거의 경험과 현재의 상황을 토대로 자신의 모습을 돌아보고, 더 나은 사람이 되기 위한 노력을 기울여야 합니다. 중년은 삶의 중간 지점에서 자아 발견과 성장을 위한 소중한 시간으로, 주변의 어진 사람들을 보고 그들의 모범을 따라가고, 어질 못한 사람들을 보며 자신의 모습을 되돌아보는 시기입니다.

우리는 주변의 어진 사람들을 보면서 그들과 같아지고자

합니다. 그들의 인정받고 싶은 자세, 뛰어난 덕목, 혹은 성취에 감탄하며 우리도 그와 같은 모습이 되고자 합니다. 이러한 욕망은 우리를 더 나은 사람으로 성장시키는 원동력이 될 수 있습니다. 중년에 이르러서는 특히 이러한 어진 사람들을 보고 자신의 행동과 태도를 되돌아보며 그들처럼 성취하고자 하는 목표를 설정해야 합니다.

하지만 반대로, 어질지 못한 사람들을 보면서도 우리는 반성해야 합니다. 다른 사람의 부족한 행동이나 태도를 보면서 자신의 모습을 돌아보고, 그와 같은 모습이 되지 않기 위해 노력해야 합니다. 중년에는 자신의 약점과 부족함을 인정하고 개선하기 위한 노력을 기울여야 합니다. 이는 자기성찰과 성장의 과정으로 이어지며, 결국 더 나은 사람이 되기 위한 중요한 단계입니다.

중년이 닮아야 할 것만 닮아간다는 것은 어진 사람들의 모범을 따라가고, 어질 못한 사람들의 부족함을 반성하며 자기성찰과 성장을 이루어 나간다는 의미입니다. 이는 과거의 경험과 현재의 상황을 토대로 더 나은 미래를 위한 방향을 설정하는 과정입니다. 중년에는 자신의 모습을 돌아보고, 어진 사람들을 따라가며 성장하고, 어질 못한 사람들의 모습을 반성하며 더 나은 사람으로 거듭나는 과정을 거쳐야 합니다.

결론적으로, 중년은 자아 발견과 성장을 위한 소중한 시간입니다. 이러한 성장은 어진 사람들의 모범을 따라가고, 어질지 못한 사람들의 모습을 반성하며 이루어집니다. 중년에는 닮아야 할 것만 닮아가는 것이 중요합니다. 과거의 경험을 바탕으로 자기 모습을 돌아보고, 미래를 위한 목표를 설정하며 성장하는 과정을 거쳐야 합니다. 이는 자기성찰과 성장을 통해 더 나은 인간이 되기 위한 필수 과정입니다. 그러므로 중년에 있어서는 닮아야 할 것만 닮아가며, 더 나은 미래를 위한 발걸음을 내딛어야 합니다.

논어(論語) Insight

1. 모범적인 인물을 찾아 배워라

중년에는 자신의 삶에서 긍정적인 영향력을 끼친 사람들을 찾아 그들의 행동과 가치를 배워야 한다. 이는 멘토, 업계 리더, 역사적 인물, 심지어는 가족 구성원이나 친구일 수 있다. 그들의 성품, 결단력, 인내심과 같은 특성을 닮으려는 의식적인 노력은 중년에 자신을 개선하고 성장시키는 데 중요하다.

2. 자기반성으로 삶을 개선하라

중년에는 자기 행동과 가치를 주기적으로 되돌아보며, 부정적인 영향력이나 습관에서 배우고 그것으로부터 벗어나려는 의지를 가져야 한다. 비판적 사고와 자기 반성을 통해, 우리는 부정적인 특성이나 태도를 인식하고 이를 개선할 수 있다. 이 과정은 꾸준함을 요구한다.

3. 지속적인 성장과 발전을 추구하라

중년은 새로운 기술을 배우고, 새로운 관심사를 탐구하며, 자신의 한계를 넓히는 데 이상적인 시기다. 삶의 이 시기에는 개인적인 성장과 발전을 위해 계속해서 노력해야 한다. 이는 교육 프로그램 참여, 취미 활동, 자원봉사 등 다양한 방식으로 이루어질 수 있으며, 이를 통해 중년의 삶에 새로운 의미와 만족을 가져다 준다.

미움받지 않으려면 말을 줄여라

●
●
●

"말재주를 어디에 쓰겠는가? 말재주로 다른 사람을 대하면 점점 더 미움만 받을 뿐이다. 그가 어진 사람인지는 모르겠지만, 말재주를 어디에 쓰겠는가?" 《논어, 공야장편》

중년은 사회적, 개인적 역할이 겹치며 복잡해지는 시기입니다. 이 시기에는 지혜와 성찰을 통해 자신의 말과 행동의 영향력을 깊이 이해하는 것이 중요합니다. 공자의 말씀에서 "말재주를 어디에 쓰겠는가?"라는 질문은, 단순히 말의 기교를 넘어 그것이 타인과의 관계에서 어떤 역할을 하는지를 성찰하게 합니다.

중년은 경험과 지식이 풍부한 시기이지만, 이로 인해 자신의 의견을 강하게 피력하거나, 말로써 지배하려는 유혹에 빠질 수 있습니다. 하지만 공자의 말처럼, 말재주가 사람을 더 나은 방향으로 이끌지, 아니면 미움을 사게 만드는지는 그 말이 어떻게 사용되느냐에 달려 있습니다. 중년의 지혜로운 사람은 말의 힘을 인식하고, 그것을 긍정적인 영향을 미치는 방향으로 사용하는 법을 압니다.

말을 줄이고 경청을 늘리는 것은 중년에게 필수 덕목입니다. 타인의 의견을 경청하고 이해하려는 태도는 대화에서 존중과 이해를 높여줍니다. 이는 관계를 강화시키고, 미움보다는 존경을 받는 결과를 낳습니다. 경청은 또한 자신의 말을 더 신중하게 선택하도록 도와, 불필요한 말 실수를 줄이는 데 도움이 됩니다.

중년에게는 말의 질을 높이면서 양을 조절하는 것이 중요합니다. 진실하고 진정성 있는 대화는 양보다 질에 초점을 맞추어야 합니다. 간결하고 명확한 말은 오해를 줄이고, 의사소통을 효과적으로 만듭니다. 또한, 말을 줄임으로써 타인에게 생각할 시간을 주고, 대화에 깊이를 더할 수 있습니다.

중년의 시기에는 자신의 말과 행동이 주변 사람들에게 어떤 영향을 미치는지 깊이 이해하는 것이 중요합니다. 공자의 말은 우리에게 말의 힘을 현명하게 사용하는 방법을 상기시켜 줍니다. “미움받지 않으려면 말을 줄여라”는 말의 양을 줄이는 것뿐만 아니라, 그 질을 높이고 경청의 가치를 인식하는 것을 강조합니다. 이는 단순히 대화에서의 소극적인 참여를 의미하는 것이 아니라, 더 깊은 이해와 상호 존중의 기반 위에 건설된 의사소통의 예술을 의미합니다. 중년이 이 원칙을 적용함으로써, 그들은 관계를 강화하고, 자신의 경험과 지혜를 보다 효과적으로 전달할 수 있습니다.

논어(論語) Insight

1. 타인의 말을 경청하고 이해하라

중년은 다른 사람의 의견과 경험을 경청하고 이해하는 것을 우선으로 해야 한다. 자신의 생각과 견해를 표현하는 것도 중요하지만, 상대방의 말에 귀 기울이고 그들의 관점을 이해하려는 노력은 관계를 강화하고 존중의 분위기를 조성한다.

2. 말의 질을 높이고 양을 조절하라

중년에는 말의 양보다 질에 집중하는 것이 중요하다. 간결하고 명확하며, 진실되고 진정성 있는 대화를 추구해야 한다. 말을 줄임으로써 더 신중하고 의미 있는 소통을 할 수 있으며, 이는 오해를 줄이고 더 깊은 이해를 가능하게 한다.

3. 자기반성과 성찰로 성장하라

중년은 자신의 말과 행동이 타인에게 미치는 영향을 깊이 성찰하고 반성하는 시기다. 자신의 말이 어떤 결과를 초래하는지 인식하고, 필요한 경우 자신의 소통 방식을 조정함으로써, 보다 성숙하고 조화로운 인간 관계를 구축할 수 있다. 이 과정에서 개인적 성장과 발전이 이루어지며, 미움받지 않고 존경받는 중년의 삶을 살아갈 수 있다.

"나는 부족해"는 쓰레기통에 버려라

•
•
•

"염구가 말했다. '선생님의 도를 좋아하지 않는 것은 아니지만, 제 능력이 부족합니다.' 공자께서 말씀하셨다. '능력이 부족한 자는 도중에 그만두게 되는데, 지금 너는 미리 선을 긋고 물러나 있구나.'" 《논어, 옹야편》

공자의 이 말씀은 자기 능력을 과소평가하거나 부족함을 핑계로 도전을 미루는 행위를 비판하고 있습니다. 중년에도 자기 능력을 부정하거나 자의적으로 한계를 정하는 것은 성장과 발전을 저해하는 요인이 됩니다. 중년은 과거의 경험을 바탕으로 자신의 능력을 인식하고, 그에 따른 도전을 두려워하지 않고 맞서야 하는 시기입니다.

우리는 종종 자신의 부족함을 강조하며 도전을 회피하는 경향이 있습니다. "나는 부족해"라는 핑계를 대며 도전을 미루고, 자기 능력을 과소평가하며 안주하는 경우가 많습니다. 그러나 이러한 태도는 결국 자신의 성장과 발전을 저해하는 결과를 초래합니다. 중년에도 자기 능력을 충분히 인정하고, 그에 따른 도전을 두려워하지 않고 맞서야 합니다.

본문에서 공자는 염구의 부족한 능력을 지적하며, 그가 도전을 미루는 것을 비판합니다. 능력이 부족한 사람이 도중에 포기하는 것은 자신의 한계를 인정하는 것이 아니라, 능력을 키우지 않고 도전을 회피하는 것입니다. 중년에는 자신의 부족한 점을 부정하는 것이 아니라, 그 부족함을 극복하기 위한 노력을 기울여야 합니다.

"나는 부족해"는 쓰레기통에 버려져야 합니다. 중년에 이르러서도 자기 능력을 과소평가하거나 도전을 회피하는 태도는 성장과 발전을 저해하는 요인으로 작용합니다. 중년은 과거의 경험을 토대로 자기 능력을 인식하고, 그에 따른 도전에 맞서야 합니다. "나는 부족해"라는 핑계를 대지 말고, 자기 능력을 믿고 도전을 두려워하지 않는 자세로 앞으로 나아가야 합니다.

결론적으로, "나는 부족해"는 쓰레기통에 버려져야 합니다. 중년은 자기 능력을 과소평가하거나 도전을 회피하는 태도는 성장과 발전을 저해하는 요인으로 작용합니다. 중년은 과거의 경험을 토대로 자기 능력을 인식하고, 그에 따른 도전에 맞서야 합니다. "나는 부족해"라는 핑계를 대지 말고, 자기 능력을 믿고 도전을 두려워하지 않는 자세로 앞으로 나아가야 합니다.

논어(論語) Insight

1. 자기 자신을 이해하고 수용하라

중년은 자기 능력과 한계를 이해하고 받아들이는 것이 중요하다. 이는 자신의 장단점을 파악하고 자신을 인정하는 것으로 시작된다. 성공이나 실패에 대한 자부심이나 자존감은 자신을 이해하고 수용하는 데 큰 영향을 미친다.

2. 끊임없이 성장하라

중년은 끊임없이 성장하고 발전하는 과정에 있어야 한다. 능력이 부족하다고 느낄 때에도 포기하지 말고 지식과 기술을 습득하고 개발하는 것이 중요하다. 새로운 도전에 대한 용기와 열정을 유지하며, 자기 발전을 위해 노력하는 것이 중요하다.

3. 타인과 관계에 주의를 기울여라

중년은 자기 자신뿐만 아니라 주변 사람들과의 관계에도 주의를 기울여야 한다. 가족, 친구, 동료들과의 소통과 이해를 통해 상호 존중과 지지를 나누는 것이 중요하다. 또한, 자기 경험과 능력을 활용하여 사회나 지역사회에 기여하고 공헌하는 것도 중요한 삶의 가치 중 하나다.

최고의 경지, 즐기는 사람

•
•
•

"아는 사람은 좋아하는 사람만 못하고, 좋아하는 사람은 즐거워하는 사람만 못하다" 《논어, 옹야편》

공자의 이 말씀은 지혜로운 사람은 그저 아는 사람만이 아니라, 좋아하는 사람이기도 하며, 좋아하는 사람은 즐거워하는 사람이라는 것을 말합니다. 중년에는 지혜롭고 즐거운 삶을 추구해야 합니다. 중년은 삶의 경험을 토대로 지혜롭게 행동하고, 즐거움을 찾아내는 시기로, 최고의 경지는 바로 즐기는 사람이 되는 것입니다.

우리는 종종 삶을 지혜롭게 살기 위해 많은 노력을 기울입니다. 하지만 그 노력이 지혜롭게 행동함에만 집중되고 즐거움을 잃어버리는 경우가 많습니다. 중년에 이르러서도 우리는 단순히 아는 사람이 아닌, 즐기는 사람이 되어야 합니다. 즐거움은 우리의 삶을 더욱 풍요롭게 만들며, 지혜와 즐거움을 결합한 삶이 최고의 경지입니다.

"아는 사람은 좋아하는 사람만 못하다"는 말은 지혜로운 사람은 그저 지식을 쌓는 것이 아니라, 인간관계와 감정을 이해하고 배려할 줄 아는 사람이라는 의미입니다. 중년에는 지혜를 바탕으로 자신과 주변 사람들의 감정을 이해하고 존중하는 데 더욱 중요한 시기입니다. "좋아하는 사람은 즐거워하는 사람만 못하다"는 말은 우리는 삶의 즐거움을 찾아내고 그것을 나누며, 주변 사람들과 함께하는 즐거운 삶을 추구해야 한다는 의미입니다.

"즐기는 사람"이란 단순히 즐거움을 추구하는 사람이 아닙니다. 즐기는 사람은 어려운 상황에서도 긍정적인 태도를 유지하고, 주변 사람들과 함께 즐거움을 찾아내는 사람입니다. 중년에는 삶의 경험을 토대로 즐거움을 찾아내고, 그것을 나누며, 주변 사람들과 함께하는 즐거운 삶을 추구해야 합니다. 이것이 최고의 경지이며, 중년에 이르러서도 계속해서 추구해야 할 목표입니다.

결론적으로, 중년은 최고의 경지를 향해 나아가야 합니다. 최고의 경지는 즐기는 사람이 되는 것입니다. 지혜롭게 행동하고, 삶의 즐거움을 찾아내며, 주변 사람들과 함께하는 즐거운 삶을 추구해야 합니다. 중년은 삶의 경험을 토대로 자신의 지혜와 즐거움을 결합한 삶을 살아가는 시기입니다. 그러므로 중년에 이르러서도 계속해서 최고의 경지를 추구하고, 즐거움을 향한 여정을 계속해야 합니다.

논어(論語) Insight

1. 자신의 취미와 열정을 발견하라

중년에는 자신이 진정으로 좋아하는 것과 그것을 즐기는 방법을 찾는 것이 중요하다. 이는 취미 활동, 여가 생활, 혹은 일상의 소소한 즐거움을 통해 이루어질 수 있다. 자신만의 열정을 찾고 그것에 몰입함으로써, 삶에 대한 만족감과 행복을 높일 수 있다.

2. 일상의 순간을 즐기며 살라

중년에는 크고 작은 일상의 순간들을 즐기는 것이 중요하다. 이는 간단한 산책, 가족과의 대화, 친구들과의 만남, 혹은 맛있는 식사와 같은 평범한 순간에서도 즐거움을 찾는 것을 의미한다. 삶의 작은 순간들에서 행복을 찾음으로써, 전반적인 삶의 질을 높일 수 있다.

3. 긍정적인 태도와 감사하는 마음을 유지하라

중년에는 긍정적인 태도를 유지하고, 삶에 대해 감사하는 마음을 가지는 것이 중요하다. 삶의 어려움과 도전 속에서도 긍정적인 면을 보고, 감사할 수 있는 것들을 찾는 것은 삶을 더욱 즐겁게 만든다. 자신의 삶에 감사하며, 긍정적인 태도로 살아가는 것은 중년의 행복과 만족감을 극대화하는 데 도움이 된다.

미래를 상상하고 현재를 집중하라

●
●
●

공자가 말했다. "사람이 멀리 생각하지 않으면, 반드시 가까운 근심이 있다." 《논어, 위령공편》

공자의 이 말씀은 우리가 미래를 상상하지 않으면 현재에도 근심이 있음을 시사합니다. 중년에는 미래를 상상하고 현재에 집중해야 합니다. 중년은 과거의 경험을 토대로 미래를 준비하고 현재를 살아가는 시기로, 미래를 상상하며 현재에 더욱 집중함으로써 더 나은 삶을 이끌어 나가야 합니다.

우리는 종종 현재의 문제나 고민에만 집중하여 미래를 상상하지 않는 경향이 있습니다. 그러나 공자의 말씀은 현재에는 미래에 대한 근심이 반드시 존재한다는 것을 알려줍니다. 중년에 이르러서도, 현재의 문제를 해결하면서도 미래를 상상하고 준비해야 합니다. 미래를 상상함으로써 우리는 현재에 더욱 집중하고 미래를 준비할 수 있습니다.

미래를 상상하고 준비하는 것은 중년에게 매우 중요합니다. 중년은 과거의 경험을 토대로 미래를 예측하고 준비할 수 있는 시기입니다. 미래를 상상하면서 우리는 현재의 행동과 선택에 대해 더욱 신중해지고 책임감을 가질 수 있습니다. 미래를 상상하는 것은 우리에게 희망과 목표를 제시해주며, 더 나은 미래를 위한 계획을 세우는 데 도움이 됩니다.

그러나 미래를 상상하면서도 우리는 현재에 집중해야 합니다. 현재의 행동과 선택이 우리의 미래를 결정 짓는데 중요한 역할을 합니다. 중년에는 과거의 경험을 토대로 현재를 살아가면서도 미래를 상상하고 준비해야 합니다. 현재를 제대로 살아가면서도 미래를 대비하는 것이 우리의 삶을 더욱 풍요롭게 만들어 줄 것입니다.

결론적으로, 중년에도 미래를 상상하고 현재에 집중해야 합니다. 미래를 상상하면서 우리는 희망과 목표를 가지고 미래를 위한 계획을 세울 수 있습니다. 그러나 미래를 상상하면서도 현재에 충실하고 현재를 제대로 살아가야 합니다. 중년은 과거의 경험을 토대로 미래를 예측하고 준비할 수 있는 시기이며, 미래를 상상하면서도 현재에 집중함으로써 더 나은 삶을 이끌어 나가야 합니다. 그것이 우리의 미래를 준비하는 가장 좋은 방법이며, 중년의 지혜로운 선택입니다.

논어(論語) Insight

1. 비전을 가지고 행동하라

중년에는 미래를 바라보고 목표를 설정하는 것이 중요하다. 우리는 미래에 대한 비전을 가지고 그에 따른 목표와 계획을 세워야 한다. 이를 통해 우리는 현재의 행동을 미래의 목표에 부합하도록 조정할 수 있으며, 미래를 위한 준비를 시작할 수 있다.

2. 현재의 순간을 즐겨라

중년에는 미래를 준비하고 계획하는 것이 중요하지만, 현재의 순간도 소중히 살아가야 한다. 우리는 현재의 순간을 즐기고 소중히 여기며, 주변 사람들과 함께하는 소중한 시간을 보내야 한다. 현재의 순간을 즐기는 것은 우리의 삶을 풍요롭게 만들고, 미래에 대한 걱정을 덜어내는 방법이다.

3. 삶의 균형을 유지하라

중년에는 미래와 현재 사이의 균형을 유지하는 것이 중요하다. 우리는 미래를 위한 계획을 세우면서도 현재의 삶을 즐기고 소중히 여겨야 한다. 미래에 대한 준비를 하면서도 현재의 순간을 즐기고 소중히 여기는 것은 우리가 건강하고 행복한 삶을 살아가는 방법이다.

중년이 알아야 할 세 가지: 천명, 예, 말

공자가 말했다. "하늘의 뜻을 알지 못하면 군자라 할 수 없고, 예를 모르면 바로 설 수 없으며, 말을 알지 못하면 사람을 알 수 없다." 《논어, 요왈편》

중년은 인생의 중요한 단계에 이르러 천명(天命, 하늘의 뜻), 예(禮), 말(言)에 대해 깊이 생각해야 합니다. 이는 중년의 삶을 이해하고 방향을 제시하는데 중요한 역할을 합니다.

먼저, 천명(天命, 하늘의 뜻)을 알아야 합니다. 천명은 인생의 방향과 목적을 이해하는데 도움을 줍니다. 중년은 지난 경험을 토대로 자신의 삶에 대한 의미와 목표를 다시 고민해야 합니다. 하늘의 뜻을 알기 위해서는 내면의 진실을 찾아가고, 자신의 가치관과 믿음을 탐구해야 합니다. 또한, 하늘의 뜻은 자신의 역할과 책임을 인식하고, 그것을 바탕으로 행동해야 함을 의미합니다. 중년은 천명을 통해 자신의 삶을 의미 있게 살아가는 방법을 찾을 수 있습니다.

다음으로, 예(禮)를 알아야 합니다. 예란 인간관계에서 중요한 가치 중 하나입니다. 중년은 과거의 경험과 배움을 토대로 예의 중요성을 깨닫고, 주변 사람들과의 상호작용에서 예의를 지켜야 합니다. 예는 상대방을 존중하고 배려하는 자세를 반영합니다. 중년은 자신의 행동이 주변 사람들에게 어떤 영향을 미치는지를 고려하며, 그에 맞는 예의를 갖춰야 합니다. 또한, 중년은 예를 통해 자신의 가치관과 인격을 더욱 강화할 수 있습니다.

마지막으로, 말(言)을 알아야 합니다. 말은 인간관계에서 소통의 핵심입니다. 중년은 자신의 말과 행동이 주변 사람들에게 미치는 영향을 이해하고, 그에 맞는 말을 선택해야 합니다. 또한, 중년은 다양한 의견을 수용하고 존중하는 자세를 가져야 합니다. 말을 통해 중년은 자신의 생각과 감정을 표현하고, 주변 사람들과의 의사소통을 향상시킬 수 있습니다. 또한, 중년은 말을 통해 자신의 이야기를 나누고, 주변 사람들과의 관계를 더욱 깊게 형성할 수 있습니다.

결론적으로, 중년은 천명, 예, 말을 이해하고 삶의 방향과 목표를 제시하는데 큰 도움이 됩니다. 천명을 통해 자신의 삶을 의미 있게 살아가는 방법을 찾고, 예를 통해 주변 사람들과의 인간관계를 건강하게 유지하며, 말을 통해 소통과 의사소통을 강화할 수 있습니다. 중년은 이러한 가치들을 바탕으로 자신의 삶을 더욱 풍요롭고 의미 있게 만들어 나갈 수 있습니다.

논어(論語) Insight

1. 하늘의 뜻을 이해하고 수용하라

중년은 삶의 방향과 목표를 결정할 때 하늘의 뜻을 고려해야 한다. 이는 자신의 인생에 대한 신념과 목표를 명확히 하고, 그에 따라 행동하는 것을 의미한다. 천명을 이해하고 수용함으로써 중년은 자신의 삶을 더욱 의미 있게 살아갈 수 있다. 이는 종교나 철학 등을 통해 자신의 신념을 찾고, 그에 따라 행동하는 것을 포함한다.

2. 예의 중요성을 이해하고 실천하라

중년은 인간관계에서 예의 중요성을 깨달아야 한다. 예를 지키는 것은 상대방을 존중하고 배려하는 것을 의미하며, 예를 따르면서 주변 사람들과의 관계를 건강하게 유지할 수 있다. 이는 상대방의 입장을 이해하고 존중하는 것을 포함하며, 갈등을 해결하고 소통을 원활하게 할 수 있는 기반을 제공한다.

3. 말을 통해 소통하고 이해하라

중년은 말을 통해 자기 생각과 감정을 표현하고 주변 사람들과 소통해야 한다. 이는 자기 의사를 명확히 전달하고, 상대방의 의견을 듣고 이해하는 것을 의미한다. 중년은 자기 말을 선택하고 상황에 적절하게 사용함으로써 서로 이해와 신뢰를 증진시킬 수 있다.